afgeschreven

D0585508

Bibliotheek Geuzenveld
Albardakade 3
1067 DD Amsterdam
Tel.: 020 - 613.08.04

Bibliotheek Geuzenveld
Albardakade 3
1067 DD Amsterdam
Tel.: 020 - 613.08.04

iPhone 4

Yvin Hei en Pieter van Groenewoud

PEARSON

Addison
Wesley

ISBN: 978 90 430 2131 9
NUR: 980
Trefwoorden: iPhone, Apple, Mac

Dit is een uitgave van Pearson Education Benelux bv, Postbus 75598, 1070 AN Amsterdam
Website: www.pearsoneducation.nl - e-mail: amsterdam@pearson.com

Vormgeving: Yvin Hei, Amsterdam
Omslag: Sabine Mannel / Neon, Amsterdam

Met dank aan Apple voor de afbeeldingen.

Dit boek is gedrukt op een papiersoort die niet met chloorhoudende chemicaliën is gebleekt. Hierdoor is de productie van dit boek minder belastend voor het milieu.

© Copyright 2010 Pearson Education Benelux

Alle rechten voorbehouden. Niets uit deze uitgave mag worden verveelvoudigd, opgeslagen in een geautomatiseerd gegevensbestand, of openbaar gemaakt, in enige vorm of op enige wijze, hetzij elektronisch, mechanisch, door fotokopieën, opnamen, of enige andere manier, zonder voorafgaande toetsemming van de uitgever.

Voor zover het maken van kopieën uit deze uitgave is toegestaan op grond van artikel 16B Auteurswet 1912 j∞ het Besluit van 20 juni 1974, St.b. 351, zoals gewijzigd bij Besluit van 23 augustus 1985, St.b. 471 en artikel 17 Auteurswet 1912, dient men de daarvoor wettelijk verschuldigde vergoedingen te voldoen aan de Stichting Reprorecht. Voor het overnemen van gedeelte(n) uit deze uitgave in bloemlezingen, readers en andere compilatie- of andere werken (artikel 16 Auteurswet 1912), in welke vorm dan ook, dient men zich tot de uitgever te wenden.

Ondanks alle aan de samenstelling van dit boek bestede zorg kan noch de redactie, noch de auteur, noch de uitgever aansprakelijkheid aanvaarden voor schade die het gevolg is van enige fout in deze uitgave.

Inleiding

Alles wat je moet weten voordat je de iPhone gaat gebruiken

De Apple-freaks stonden te smullen op 9 januari 2007. Na veel geruchten over de komst van een mogelijke telefoon kondigde Steve Jobs dan eindelijk de komst van de iPhone aan. Een verrassende stap voor een bedrijf dat oorspronkelijk een computerfabrikant is zou je zeggen. Het bleek een goede beslissing te zijn.

De iPhone week af van alle andere telefoons die er toen op de markt waren. Hoezo moest je altijd een klein pennetje gebruiken bij telefoons van andere merken? 'Je raakt het kwijt en het is toch veel logischer om je vingers te gebruiken', aldus Steve Jobs tijdens de aankondiging van de iPhone.

De iPhone

Op 29 juni 2007 lag de iPhone voor het eerst in de winkel in Amerika. Het leek alsof de iPhones gratis weg werden gegeven zulke lange rijen mensen stonden er voor de Apple Stores. De iPhone was niet aan te slepen. De concurrentie zat met de handen in het haar. Dit hadden ze niet zien aankomen. Snel wist de iPhone marktaandeel te winnen op een markt waarvan iedereen dacht dat het onmogelijk was om toe te treden.

Helaas moesten wij in Nederland nog even wachten. Na Amerika kregen in Europa het Verenigd Koninkrijk en Duitsland de primeur, daarna volgde Frankrijk. De eerste generatie iPhone werd officieel niet in de Benelux verkocht, dit tot schande van vele Apple-gebruikers uit deze landen.

De iPhone 3G/3GS

Op 9 juni 2008 kwam er het verlossende woord voor iedereen die lang had gewacht. De nieuwste iPhone genaamd iPhone 3G ging verkocht worden in meer dan 80 landen waaronder de Benelux. Dit model had als belangrijkste nieuwe functies een snellere processor, assisted GPS, UMTS en een verbeterde batterij-standbytijd. Ook werd er behoorlijk gesleuteld aan de software. De kracht van Apple als softwareproducent werd steeds meer duidelijk. Apple had weer zijn visitekaartje afgegeven. De iPhone 3G ging in de Benelux op 11 juli 2008 voor het eerst over de toonbank. Halverwege 2009 lanceerde Apple een snellere versie de iPhone 3GS waarbij de S staat voor 'speed'. Ook heeft de 3GS een verbeterde camera, betere batterij en een nieuw digitaal kompas ingebouwd.

De iPhone 4

Techniek staat nooit stil en daarom kwam halverwege 2010 een verbeterde versie van de iPhone uit, genaamd de iPhone 4. De standbytijd van de batterij, een verbeterde camera met HD (high definition) video-functionaliteit en een nog snellere processor zijn de belangrijkste nieuwste kenmerken.

Ook heeft de iPhone 4 een compleet nieuw uiterlijk. Zelfs jaren na de introductie van de eerste iPhone is het concept nog steeds baanbrekend. We zijn er inmiddels aan gewend maar de iPhone blijft een ongelooflijk kunstwerk van techniek, design en gebruiksgemak.

De iPhone 4 verschilt qua uiterlijk nogal van de iPhone 3G en 3GS.

© Apple

Over dit boek

De verschillen tussen de eerste iPhone, de iPhone 3G, iPhone 3GS en iPhone 4 zijn niet eens zo heel groot. Desondanks is het soms zo dat een bepaalde functie niet in de oudere modellen zit, maar wel in de nieuwste iPhone. We hebben in dit boek geprobeerd dit zo duidelijk mogelijk op te lossen door toe te lichten op welk model een bepaalde functionaliteit van toepassing is en op welke niet.

Soms zie je in de kop van de paragraaf tussen haakjes de naam 'iPhone 4' staan; de daaronder geschreven tekst is dan alleen van toepassing op de nieuwste iPhone.

Firmware op de iPhone

Apple, als ontwikkelaar van de software voor de iPhone, zit nooit stil. Eens in de zoveel tijd komt er daarom een update voor de software op de iPhone uit (die software noemen we ook wel *firmware*). Zodra je de iPhone aansluit op de computer en iTunes opstart, zal iTunes automatisch kijken of er zo'n update beschikbaar is en deze voor je installeren. Kijk op pagina 13 voor meer informatie over het bijwerken van de firmware. Op het moment van schrijven van dit boekje gebruikten we firmwareversie 4.1 voor de iPhone. Het kan dus zijn dat deze firmware inmiddels nieuwer is en sommige functies net even anders werken of er anders uitzien op het scherm. Maar de verschillen zullen nihil zijn.

Menustructuur en knoppen

Een hoop functies op de iPhone zullen via bepaalde menu's te benaderen zijn. De stappen die je door de menu's moet afleggen hebben we in dit boek dikgedrukt weergegeven. Bijvoorbeeld: 'Ga naar **Instellingen** > **Algemeen** > **Info** als je meer wilt weten over de gebruikte schijfruimte op je iPhone.'

Soms vind je in de tekst een icoon of symbool. Deze komt dan overeen met de knoppen zoals je ze ziet in het scherm van de iPhone. Vaak bedoeld omdat je erop moet drukken (of tikken zoals we liever zeggen). Bijvoorbeeld: 'Tik op 📤 om de afbeelding op te slaan.'

De eerste stappen

Voordat je de iPhone kunt gebruiken moet je een aantal handelingen uitvoeren. De belangrijkste zijn het activeren en registreren van de iPhone. De iPhone is onbruikbaar totdat je dit gedaan hebt. Daarnaast kun je op een makkelijke manier de iPhone synchroniseren met de gegevens op je computer. Hiervoor gebruik je iTunes.

De iPhone activeren

De iPhone wordt in de meeste gevallen verkocht in combinatie met een abonnement bij een telecom-provider. In Nederland is dat *T-Mobile* en in België *Mobistar*. Deze providers bieden een specifiek iPhone-abonnement aan. Dat wil zeggen dat je naast belminuten en een aantal sms'jes per maand, ook betaalt voor internetgebruik en Visual Voice-mail.

Voor meer informatie over de abonnementen en voorwaarden van de desbetreffende providers, kun je terecht op de websites van deze aanbieders.

Nadat je een abonnement hebt afgesloten en de iPhone in ontvangst hebt genomen, is deze direct geactiveerd. Dit gebeurt dus door de provider zelf. Het enige dat je nog wel zelf moet doen, is het in-stalleren van de SIM-kaart en het registreren van de iPhone. Na deze twee handelingen kun je met-een gebruik maken van je nieuwe iPhone.

De Micro SIM-kaart installeren

Het kan zijn dat het personeel in de winkel waar je de iPhone hebt aangeschaft al zo vriendelijk is geweest om de SIM-kaart (die nodig is om te kun-nen werken met de iPhone) te installeren. Maar waarschijnlijk moet je dit zelf doen.

In de iPhone 4 wordt gebruik gemaakt van een nieuw soort SIM-kaart: de Micro SIM-kaart. Deze is kleiner dan de traditionele kaart. Als je nog in het bezit bent van een 'normale' SIM-kaart dan kun je de Micro SIM-kaart aanvragen bij je provi-der.

In de verpakking van de iPhone vind je een zoge-heten SIM-verwijdertool. Heb je deze niet bij de hand, gebruik dan een paperclip. Neem de SIM-houder uit de iPhone en plaats de SIM-kaart in de houder. De SIM-kaart past maar op één manier in de houder (met de chip naar beneden).

Rechts op de iPhone zit de Micro SIM-houder. Deze open je door de SIM-verwijdertool of een paperclip te gebruiken. Plaats de Micro SIM-kaart met het ronde hoekje naar boven en druk de SIM-houder terug in de iPhone.

De iPhone registreren

Het enige wat je nu nog hoeft te doen, is de iPhone registreren. Dat houdt in dat je de iPhone als het ware koppelt met je computer om zo gegevens te kunnen synchroniseren (zie verderop in dit hoofdstuk). Ook wordt er een reservekopie gemaakt van de instellingen van de iPhone en wordt het serienummer van de iPhone geregistreerd. Het registreren van de iPhone gaat volledig met het programma iTunes.

1. Download eerst de laatste versie van iTunes. Ga daarvoor naar *www.itunes.com/nl/download*.
2. Zodra iTunes geïnstalleerd is, kun je de iPhone aansluiten op je computer. Gebruik daarvoor de meegeleverde USB-kabel.
3. Volg nu de instructies op het scherm. iTunes zal in een aantal stappen een aantal gegevens van je vragen, vul deze in.
4. Zodra je gevraagd wordt een Apple ID aan te maken, vul je de gewenste gegevens in. Met een Apple ID kun je later muziek en programma's aanschaffen in de iTunes Store en de App Store. Zie pagina 19.

5. Zet in het venster **Uw iPhone configureren** het vinkje aan voor **Synchroniseer contacten, agenda's, e-mailaccounts en bladwijzers automatisch** als je wilt dat deze met de iPhone worden gesynchroniseerd zodra je deze aansluit op de computer.
6. Je kunt ook aangeven welke mediabestanden je op de iPhone wilt hebben. Zoals muziek, audioboeken, films, tv-programma's en foto's.

Als alle stappen doorlopen zijn, is de iPhone klaar voor gebruik! Je kunt de iPhone loskoppelen door de kabel uit de iPhone te trekken.

De iPhone synchroniseren

Er zullen een heleboel soorten gegevens en bestanden in je computer staan die je ook op je iPhone wilt hebben. Dat kunnen adresgegevens, agenda's, bladwijzers, e-mailaccounts, muziek, films, podcasts, foto's en iPhone-programma's zijn. Met iTunes kun je deze gegevens synchroniseren.

Naam: iPhone

☑ Synchroniseer contacten, agenda's, e-mailaccounts en bladwijzers automatisch

iTunes kan de iPhone automatisch synchroniseren met uw Adresboek-gegevens, iCal-agenda's, Mail-accounts en Safari-bladwijzers zodra u de iPhone aansluit op deze Mac.

Om media met uw iPhone te synchroniseren, past u de instellingen op de tabbladen in het volgende venster aan.

In het venster Uw iPhone configureren kun je aangeven dat gegevens automatisch gesynchroniseerd moeten worden.

Het samenvattingsvenster

Zodra je de iPhone met de meegeleverde kabel
aansluit op de computer zal iTunes automatisch
openen en verschijnt het symbool van de iPhone
in de linkerkolom (de navigatiekolom) van iTunes.
Klik op dit symbool om het samenvattingsvenster
van de iPhone te bekijken. Hier zie je de naam en
een aantal gegevens over de iPhone. Klik op **Zoek
naar update** om de iPhone-software bij te werken.
Klik op **Herstel** om de iPhone terug naar de fa-
brieksinstellingen te zetten.

*Het samenvattingsvenster verschijnt zodra je het symbool van
de iPhone aanklikt in de navigatiekolom aan de linkerzijde.*

Zet het vinkje aan of uit voor de optie **Synchroniseer automatisch wanneer deze iPhone wordt
aangesloten** als je dit wilt. Staat het vinkje uit,
dan moet je elke keer op de knop **Synchroniseer**

rechtsonder in het venster klikken om alsnog te
synchroniseren.

Zet het vinkje voor **Beheer muziek en video's
handmatig** als je niet wilt dat iTunes automatisch
mediabestanden op de iPhone plaatst. Is deze optie
actief, dan moet je vanuit de bibliotheek of afspeellijsten handmatig de mediabestanden naar het
symbool van de iPhone slepen om ze erop te plaatsen. Standaard staat deze optie ingeschakeld.

Het infovenster

Vanuit het samenvattingsvenster kun je op de tab
Info klikken om daar bepaalde instellingen voor
het synchroniseren met de iPhone te maken.

Contactgegevens Hier kun je aangeven of de
contactgegevens uit een bepaald programma
gesynchroniseerd moeten worden. De gegevens
komen uit Adresboek of Microsoft Entourage op
de Mac (M) of Windows Adresboek of Microsoft
Outlook op een pc (W).

Agenda's Geef hier aan of je ook agenda's wilt
synchroniseren tussen je computer en de iPhone.
iTunes kijkt hiervoor in iCal of Microsoft Entourage (M) of Microsoft Outlook (W).

E-mailaccounts Zet hier vinkje(s) voor de bestaande e-mailaccounts als je deze wilt synchroniseren met je computer. De gegevens worden uit
het e-mailprogramma gehaald dat je gebruikt op

je computer. Dat kan Mail of Microsoft Entourage (M) of Microsoft Outlook (W) zijn.

Webbrowser Geef aan of je bladwijzers (of favorieten) wilt synchroniseren. Deze worden uit Internet Explorer (W) of Safari (W/M) gehaald.

Geavanceerd Kies hier eventueel of er gegevens vervangen moeten worden de volgende keer dat je de iPhone synchroniseert met iTunes.

Gebruik je MobileMe of Microsoft Exchange voor het synchroniseren van bepaalde gegevens, dan kan het zijn dat een aantal opties uitgeschakeld is. Kijk op pagina 20 voor meer info over MobileMe of op pagina 75 voor het instellen van Exchange.

Mediabestanden synchroniseren

In de volgende tabs van het iPhone-venster (**Beltonen**, **Muziek**, **Foto's**, **Podcasts** en **Video**) kun je aangeven welke mediabestanden er op de iPhone verschijnen. De meeste bestanden staan uiteraard al in iTunes. Zet vinkjes aan voor de onderdelen die je wilt synchroniseren met de iPhone.

Om foto's te synchroniseren met de iPhone, moeten er foto's in iPhoto (M), Adobe Photoshop Elements (W) of in een aparte map op de harde schijf staan. De foto's op de iPhone worden omgezet naar een kleiner formaat, zodat ze niet te veel ruimte op de harde schijf innemen. Ga je veel foto's synchroniseren, dan kan dit wel even duren.

Het infovenster van de iPhone in iTunes. Van boven naar beneden vind je er uitgebreide instellingsmogelijkheden.

Programma's synchroniseren

Sinds het uitkomen van de iPhone kun je in de iTunes Store en in de App Store op de iPhone extra programma's downloaden om te gebruiken op de iPhone. Lees op pagina 19 meer over de App Store. In de tab **Programma's** kun je aangeven welke programma's wel en welke niet met de iPhone gesynchroniseerd moeten worden. Je kunt zelfs op een visuele manier zien hoe de programma's gesorteerd worden in het beginscherm.

Synchronisatie uitvoeren

Als alle instellingen helemaal naar wens zijn, klik je op de knop **Pas toe** (M) of **Toepassen** (W). De iPhone wordt nu gesynchroniseerd met je computer. Elke keer dat je de iPhone aansluit aan de computer kun je in iTunes op de knop **Synchroniseer** klikken om een synchronisatie uit te voeren.

Zet het vinkje aan of uit voor de optie **Synchroniseer automatisch wanneer deze iPhone wordt aangesloten** in het samenvattingsvenster als je dit wilt. Standaard staat deze optie ingeschakeld.

Een reservekopie van de iPhone

Met iTunes kun je een reservekopie van de iPhone maken. Dat kan handig zijn als je een keer een probleem hebt dat je alleen kunt oplossen door de software op de iPhone te herstellen.

Is de iPhone hersteld, dan kun je de reservekopie weer terugplaatsen en is het alsof er niets aan de hand was; alle instellingen, berichten, gedownloade programma's en gegevens en andere informatie (bijvoorbeeld gemaakte foto's en video's) worden teruggeplaatst op de iPhone.

1. Sluit de iPhone aan op de computer en open iTunes.
2. Klik met de rechter muisknop op het icoon van de iPhone in de navigatiekolom en kies voor **Maak reservekopie**.
3. Dit kan even duren maar als iTunes klaar is met het maken van de reservekopie, geeft het daar een melding van.
4. Om een reservekopie terug te zetten op de iPhone, klik je met de rechter muisknop op het icoon in de navigatiekolom en kies je voor **Zet terug van reservekopie**. Kies in het venster dat verschijnt de reservekopie die je wilt terugzetten. Want iTunes bewaart meerdere kopieën.

Gebruik iTunes om een reservekopie van de iPhone te maken.

Je kunt in iTunes de reservekopieën terugvinden en verwijderen als je naar **iTunes** > **Voorkeuren** > **Apparaten** (M) of **Bewerken** > **Voorkeuren** > **Apparaten** (W) gaat.

iTunes basisfuncties

iTunes, het programma dat je gebruikt om je iPhone te activeren en te synchroniseren met je computer, is van oorsprong een muziek-afspeel-programma. In deze paragraaf een korte samen-vatting van de meest gebruikte functies en moge-lijkheden van iTunes.

Het iTunes-venster

Zodra je iTunes opent, zie je dat het programma uit maar één venster bestaat. Links staan de af-speellijsten en rechts de nummers in de totale bi-bliotheek of binnen zo'n afspeellijst. Het grijze ge-deelte boven in het venster bevat de afspeelknop-pen, de volumeknop, een venstertje met informatie over het huidige nummer, een drietal knoppen om de weergave van de lijst met nummers aan te pas-sen en een zoekveld.

De navigatiekolom

Links in het venster van iTunes bevindt zich de navigatiekolom. Hierin bevinden zich een soort mappen waardoor het heel makkelijk wordt om de grote muziekcollectie overzichtelijk te maken. Te-vens vind je er de koppeling naar de iTunes Store. Zodra je de iPhone aansluit, verschijnt deze in de navigatiekolom.

In de **Bibliotheek** vind je, gegroepeerd op soort, muziek, films, tv-programma's, podcasts, gespro-ken boeken, programma's en radioprogramma's. Onder het kopje **Store** kun je muziek en program-ma's aanschaffen in de iTunes Store. Bij **Aankopen** staan alle nummers die je reeds hebt aangeschaft. Heb je een iPhone aangesloten of een muziek-cd in je computer zitten, dan verschijnen deze onder **Apparaten**.

Alle **Afspeellijsten** verschijnen onder in de lijst. Met eerst de Partyshuffle, dan de slimme afspeel-lijsten en de gewone afspeellijsten.

De navigatiekolom in iTunes geeft toegang tot de verschil-lende onderdelen. Je iPhone verschijnt er ook in zodra je deze aansluit op de computer.

Cd's importeren

Sommigen noemen het importeren, anderen noemen het *rippen*. Uiteindelijk gaat het hier allemaal over hetzelfde: muziek-cd's op de harde schijf van de computer zetten. Hiervoor gebruik je iTunes.

1. Stop de muziek-cd die je in iTunes wilt gaan importeren in de cd-lade van je computer.
2. iTunes wordt automatisch geopend, als dat nog niet het geval was.
3. In de navigatiekolom verschijnt de cd. Als je een internetverbinding hebt, verschijnt vanzelf de juiste informatie (nummer, artiest en albumtitel) van de cd. Selecteer de muziek-cd in de lijst. Deze wordt dan zwart.
4. Klik op de knop **Importeer cd** (M) of **Cd importeren** (W) in de linkerbenedenhoek van het iTunes-venster.
5. iTunes zet nu alle nummers van de muziek-cd over op de harde schijf van de computer.
6. Klik nu op **Muziek** in de navigatiekolom. Je ziet de nummers van de muziek-cd langzaam verschijnen. Een oranje bolletje voor een nummer geeft aan dat het bezig is met importeren.
7. Als iTunes klaar is met importeren, klinkt er een pieptoontje. Alle muziek van de cd staat nu op de harde schijf en natuurlijk in de lijst **Muziek**.

Illustraties uit de iTunes Store

Omdat het bladeren door je muziek op de iPhone dankzij de Cover Flow-techniek een ware sensatie is, is het natuurlijk handig om ook alle afbeeldingen bij je nummers in de bibliotheek te verzamelen. Gelukkig kan dit met iTunes heel makkelijk.

Kies in het menu **Geavanceerd** voor de optie **Haal albumillustraties** op. iTunes zal dan kijken of je nummers in je bibliotheek hebt staan waarvan de hoes nog ontbreekt en kijken of deze wel voorkomt in de iTunes Store. Zo ja, dan wordt deze illustratie toegevoegd aan het nummer of het album.

Afspeellijsten

Het is heel leuk om niet alleen muziek af te laten spelen vanuit de bibliotheek, maar om juist zelfgemaakte volgordes aan te brengen. Dat doet iTunes met afspeellijsten. De afspeellijsten die je in iTunes maakt, worden ook zichtbaar in de iPhone en van afspeellijsten kun je heel makkelijk een cd branden.

1. Klik op de knop met het plusje erop (⊞) linksonder in het venster of kies **Archief** > **Nieuwe afspeellijst** (M) of **Bestand** > **Nieuwe afspeellijst** (W).
2. Geef de afspeellijst een naam door deze in te typen.
3. Sleep de nummers die je in de afspeellijst wilt hebben naar de afspeellijst vanuit de bibliotheek.

Je kunt nu op de naam van de afspeellijst klikken om de afspeellijst zichtbaar te maken. Het afspelen van nummers in een afspeellijst werkt hetzelfde als in de bibliotheek.

Slimme afspeellijsten

Tevens heb je de mogelijkheid om zogeheten slimme afspeellijsten te maken. Dit zijn afspeellijsten waaraan je criteria opgeeft en alle muziek die aan deze criteria voldoet, komt automatisch in deze afspeellijst terecht. Ga voor het maken van een slimme afspeellijst naar **Archief > Nieuwe slimme afspeellijst** (M) of **Bestand > Nieuwe slimme afspeellijst** (W). In het dialoogvenster dat nu verschijnt, kun je de criteria voor de slimme afspeellijst opgeven.

iTunes Store

Sinds 2003 verkoopt Apple niet alleen computers en software, maar is het ook een online muziekwinkel begonnen. Dat betekent dat je niet meer naar een winkel hoeft, maar gewoon van achter je computer muziek aanschaft en beluistert. Doordat je geen hoesje hoeft te kopen en de muziek makkelijk te distribueren is, kost de muziek in de iTunes Store doorgaans minder dan in een reguliere winkel.

Winkelen in de iTunes Store

Omdat de iTunes Store al een heel uitgebreide collectie aan muziek bevat, is het altijd leuk om er even doorheen te 'bladeren' of te zoeken naar bepaalde muziek. Om misschien eens iets nieuws te leren kennen, of te zoeken naar die band waarvan

---

Genius

Sinds de laatste versie van iTunes kun je dankzij de Genius-functie nog makkelijker afspeellijsten maken. iTunes zoekt dan zelf binnen het genre en soort muziek allerlei nummers bij elkaar die op elkaar lijken en bij elkaar passen. Klik daarvoor op de knop **Genius** rechts onderin het venster van iTunes. iTunes zal nu jouw bibliotheek vergelijken met die van miljoenen andere iTunes-gebruikers en op basis van die informatie, direct een afspeellijst maken zonder dat je zelf hoeft te kiezen. Gek genoeg werkt dit erg goed. De Genius-functie zit ook op de iPhone, zie pagina 83.

---

je al wat hebt. Klik in de navigatiekolom op **iTunes Store** om de online muziekwinkel binnen te gaan. Net als in een 'echte' cd-winkel, kun je nu lekker alle hoesjes langsgaan, naar je favoriete artiesten zoeken en zelfs luisteren naar voorproefjes van de aangeboden nummers.

Een Apple ID aanmaken

Om muziek of programma's te kunnen aanschaffen, heb je een zogenaamde Apple ID nodig. Dit is een account bij Apple waarin staat wie je bent, waar je woont en waarin ook je betalingsgegevens worden opgeslagen. Dit in verband met de betaling voor de nummers in de iTunes Store.

1. Ga naar de iTunes Store door op het symbool ervan te klikken in de navigatiekolom.
2. Klik op **Log in** in de rechterbovenhoek van het venster.
3. Log in door je gegevens in te voeren. Heb je al een Apple ID (omdat je bijvoorbeeld een MobileMe-account hebt of al eens foto's hebt besteld via iPhoto), voer dan je Apple ID en je wachtwoord in en klik op **Log in**.
4. Heb je nog geen Apple ID? Klik dan op **Nieuwe account aanmaken**. Voer in de volgende drie stappen de gewenste gegevens in.
5. Je moet ook een betalingsmethode aangeven. Kies je voor een creditcard, dan worden de bedragen direct van je creditcard afgeschreven. Kies je voor *Click&Buy*, dan word je direct doorgestuurd naar de pagina van deze dienst en moet je ook daar een account aanmaken. Deze dienst is bedacht voor mensen die geen creditcard hebben, maar wel op internet dingen willen kopen. Het geld wordt van je bankrekening afgeschreven.
6. Ben je klaar met het aanmaken van een account of ben je ingelogd op een bestaand account, dan verandert rechtsbovenin de knop **Log in** in een knop met je accountnaam erin. Klik erop om alle informatie over je Apple ID te zien. Heb je ook een tegoed in de iTunes Store dan verschijnt het bedrag naast je Apple ID in beeld.

Je kunt een Apple ID ook direct op de iPhone aanmaken. Lees daarvoor verder op pagina 117.

Muziek aanschaffen

Zodra je op **Koop album** of **Koop nummer** hebt geklikt, verschijnt er een venster waarin je wordt gevraagd of je zeker weet of je dit nummer wilt downloaden. Klik op **Buy** om verder te gaan. De muziek (het album of alleen een nummer) wordt gedownload naar je harde schijf. In de navigatiekolom verschijnt een afspeellijst **Aankopen**, daarin staan alle nummers die je ooit in de iTunes Store hebt aangeschaft. Uiteraard staan de nummers ook in de Bibliotheek en kun je ze toevoegen aan afspeellijsten.

Nadat de muziek is gedownload, ontvang je een e-mail met daarin een factuur (*receipt*) van de muziek die je hebt aangeschaft. Het totaalbedrag wordt automatisch van je creditcard- of Click&Buy-account afgeschreven.

App Store

Sinds de iPhone 3G bevat de iTunes Store ook een App Store. Hierin kun je programma's downloaden en aanschaffen als uitbreiding op je iPhone. De App Store kun je vinden op de homepage van de iTunes Store in de linkerkolom. Zodra je een programma hebt gedownload of gekocht (sommige programma's zijn namelijk gratis te downloaden) wordt deze met een volgende synchronisatie ook op de iPhone geïnstalleerd.

Muziek en programma's zijn ook direct met de iPhone aan te schaffen, kijk op pagina 118.

MobileMe

●●●●●●●●●●●●●●●●●●●●●●●●●●●●

Apple, de fabrikant van de iPhone en iTunes, heeft een extra dienst in het leven geroepen die het mogelijk maakt om gegevens te synchroniseren tussen de iPhone en de computer zonder deze fysiek aan te sluiten met een kabeltje. Deze dienst heet MobileMe en houdt in dat al je gegevens als het ware in een 'wolk' worden opgeslagen. Deze wolk bevindt zich op het internet. De gegevens in de wolk zijn adressen, agenda's, bladwijzers en e-mails. Elke keer dat je op de iPhone of op je computer een van deze gegevens wilt bekijken en gebruiken kijkt het apparaat in de wolk. Wijzig je een van de gegevens, dan is dit dus ook direct beschikbaar voor de andere apparaten.

Met MobileMe worden al je gegevens in een 'wolk' bewaard. Al je apparaten kijken in de wolk als ze deze gegevens nodig hebben. Zo zijn altijd en overal dezelfde gegevens beschikbaar!

MobileMe kost wel een bepaald bedrag per jaar. Vraag bij de lokale Apple-dealer naar de kosten. Of kijk op de website van Apple: *www.apple.com/nl/mobileme*. MobileMe is alleen in het Engels, Duits, Frans of Japans beschikbaar.

MobileMe werkt op de iPhone, iPod touch, Mac en Windows-pc. Op zoveel apparaten als je maar wilt.

Al deze apparaten blijven netjes gesynchroniseerd zonder ze aan elkaar aan te hoeven sluiten.

Wat krijg je met MobileMe?

Als je een MobileMe-account (niet te verwarren met een Apple ID) hebt, dan krijg je daarbij de volgende diensten tot je beschikking:

- Je e-mails, contactgegevens en agenda worden automatisch gesynchroniseerd tussen al je apparaten en de website van MobileMe.
- Met MobileMe-galerie kun je al je foto's en video's op internet zetten zodat anderen deze kunnen bekijken en downloaden naar hun eigen computer, waar ook ter wereld.
- De iDisk is een ruimte op internet waar je al je gegevens kunt opslaan. Dat is handig omdat je dan vanaf elke andere locatie bij deze bestanden kunt. Je hebt dan alleen een computer met internetverbinding nodig.
- Toegang tot de website *www.me.com*. Via deze website kun je al het bovenstaande bekijken, beheren en wijzigen. Op elke computer, waar ook ter wereld.
- En als iPhone-gebruiker krijg je nog een paar extra functies, zoals het wissen van alle gegevens op afstand en het terugvinden van je iPhone als je deze kwijt bent.

MobileMe instellen

Om van de functies van MobileMe gebruik te maken, moet je het eerst instellen en eventueel installeren op de apparaten die je wilt laten synchroniseren met de wolk. Hieronder wordt dat per apparaat uitgelegd.

MobileMe op een Windows-pc

Als je de laatste versie van iTunes installeert, vind je vanzelf ook het programma MobileMe Preferences in het Configuratiescherm. In dat scherm moet je je MobileMe-accountgegevens invullen. Geef daarna in de tab **Sync** aan welke gegevens je wel en niet wilt synchroniseren.

MobileMe op een Mac

Ga naar het programma Systeemvoorkeuren en klik daar op het symbool van MobileMe. Vul je MobileMe-accountgegevens in. Geef bij de tab **Synchronisatie** aan welke gegevens er wel en niet gesynchroniseerd moeten worden.

MobileMe op een iPhone of iPod touch

Ga op de iPhone of de iPod touch naar **Instellingen > Mail, contacten, agenda's** en tik op **Voeg account toe**. Tik daar op het logo van **MobileMe**. Voer je accountgegevens in en geef aan welke gegevens je wilt synchroniseren met MobileMe. Tik op **Bewaar** als je klaar bent.

Compatibiliteit

Om zowel Mac- als Windows-gebruikers te kunnen bedienen heeft Apple ervoor gezorgd dat MobileMe met beide platformen goed compatibel is. Met welke programma's MobileMe goed werkt

wordt hieronder toegelicht. Controleer dus of je een van deze programma's gebruikt, om een goede werking van MobileMe te kunnen garanderen.

Compatibel met Mac

Elke Mac wordt geleverd met de programma's **Mail**, **Adresboek** en **iCal**. Deze programma's zijn in hun geheel compatibel met MobileMe. **Safari** is het internet-programma op de Mac en synchroniseert de bladwijzers met MobileMe. Verder is het met een Mac mogelijk om widgets uit **Dashboard**, instellingen voor het **Dock**, wachtwoorden uit **Sleutelhangertoegang** en bepaalde instellingen uit **Systeemvoorkeuren** te synchroniseren.

Compatibel met Windows

Gebruik je een pc met Windows dan kun je gegevens synchroniseren met **Outlook**, **Outlook Express** en **Windows Contactpersonen**. Zowel onder Windows XP of Windows Vista. Gebruik je Microsoft Exchange Server (bijvoorbeeld op je werk) dan is het helaas niet mogelijk om tegelijkertijd te synchroniseren met Outlook. De bladwijzers worden gesynchroniseerd met **Safari** of **Internet Explorer**.

Me.com

Nadat je gegevens op al je apparaten gesynchroniseerd zijn, is het fijn te weten dat alle gegevens ook te vinden zijn op internet. Uiteraard goed beschermd met een wachtwoord, zodat niet zomaar iedereen daarbij kan. Maar mocht je geen toegang hebben tot je eigen computer, kun je toch bij je gegevens door op een willekeurige computer (met internetverbinding) de website van MobileMe te bezoeken. Deze website heet *www.me.com*, en kun je bezoeken met Safari of Internet Explorer. Vul je gegevens in (accountnaam en wachtwoord) als daarom wordt gevraagd.

Door linksboven op het icoon van de wolk te klikken verschijnen de andere iconen in beeld die toegang bieden tot de andere onderdelen.

Mail

Dit onderdeel is erg vergelijkbaar met het e-mailprogramma dat je gebruikt op je computer. Lees e-mails, stuur ze door en beantwoord ze. In de linker kolom kun je mappen aanmaken door op

de plusknop linksonder in beeld te klikken. Sleep e-mailberichten naar de mappen om ze daar naartoe te verplaatsen.

Adressen

Hier vind je je opgeslagen en gesynchroniseerde adresgegevens terug. In de linker kolom adresgroepen, de kolom daarnaast de adressen (kaarten) in de gekozen groep en daar weer naast de kaart zelf. Pas gegevens aan door op de knop met het potloodje te klikken en voeg ze toe door op de knop links daarvan te klikken.

Kalender

Blader door dagen, weken of maanden door de knoppen bovenin het venster te gebruiken. Voeg afspraken toe door te klikken en te slepen op de

De website van MobileMe is overzichtelijk, intuïtief in gebruik en biedt toegang tot al je gesynchroniseerde gegevens.

gewenste dag en tijd. Met de plusknop linksonder in beeld is het mogelijk om verschillende kalenders (met verschillende kleuren) aan te maken.

📷 Galerie

Heb je foto's en/of video's in een galerie geplaatst dan vind je ze hier terug. Je kunt met de plusknop linksonder in beeld galerieën aanmaken en foto's toevoegen door ze te uploaden. Anderen kunnen deze foto's dan ook bekijken door het adres dat rechtsboven in beeld staat vermeld (het begint met 'http://gallery.me.com/...') in de adresbalk van hun internetprogramma in te typen.

📁 iDisk

Gebruik de iDisk als een virtuele *memorystick*. Je kunt hier bestanden opslaan en downloaden. Zo heb je altijd bepaalde gegevens bij de hand. Je vindt er ook een map 'Public'; gebruik deze voor bestanden die je ook voor anderen beschikbaar wilt stellen. De andere mappen kunnen alleen bekeken worden als je ingelogd bent.

📷 Instellingen

Hier kun je je persoonlijke gegevens wijzigen. Klik in de linker kolom bijvoorbeeld op **Password settings** om je wachtwoord te veranderen.

Find my iPhone en Remote Wipe

Waar ligt ook alweer mijn iPhone? Die vraag stel je jezelf vast wel eens. Met MobileMe is je iPhone zo weer teruggevonden. Klik in het menu **Instel-**

lingen op de website van MobileMe op de knop **Find my iPhone**. Er verschijnt een landkaart met daarop een blauwe cirkel waar je iPhone op dat moment is. Dit werkt echter alleen als de locatievoorzieningen op de iPhone zijn ingeschakeld.

Je kunt ook een bericht op de iPhone laten zien, om een eventuele vinder op de hoogte te stellen van je verlies. Klik op de knop **Display a message** en typ een bericht in. Dit verschijnt een paar tellen later in het scherm van de iPhone.

Stuur een bericht naar je iPhone met Find my iPhone. In het geval van verlies of diefstal kan dit handig zijn!

Ook is het mogelijk (in geval van bijvoorbeeld diefstal) om je gegevens op de iPhone te wissen. Klik (dit kan niet ongedaan worden gemaakt) dan op de knop **Remote Wipe**. Alle gegevens worden dan op afstand verwijderd uit de iPhone.

Basishandelingen

Alles over het bedienen en gebruiken van de iPhone

De iPhone is een prachtig product van Apple dat door zijn aanraakgevoelige scherm erg makkelijk te bedienen is. Er zitten verder weinig knoppen op. Maar voordat je goed en wel aan de slag kunt met de iPhone, eerst even een paar basishandelingen die gelden voor alle functies en programma's op de iPhone.

Knoppen op de iPhone

De iPhone blinkt uit in zijn eenvoud. Je zult daarom weinig knoppen op de iPhone vinden. Het meeste doe je met het aanraakgevoelige beeldscherm. De knoppen die wel fysiek op de iPhone zitten, zijn daarom essentieel.

De aan/uit-knop
Aan de bovenkant zit de aan/uit-knop. Als je deze knop een paar seconden ingedrukt houdt kun je de iPhone inschakelen of juist uitschakelen.

Gebruik de aan/uit-knop op de bovenkant van de iPhone om deze aan of uit te zetten. Tevens zet je hiermee de toetsbeveiliging aan.

© Apple

Als de iPhone is ingeschakeld en je wilt hem opbergen in je zak of tas, dan is het handig om kort te drukken op dezelfde knop. De iPhone gaat dan op toetsenbeveiliging. Als je de telefoon weer in gebruik wilt nemen druk je nogmaals kort op de knop. Zodoende kun je de telefoon weer ontgrendelen door de knop met de pijl naar rechts te schuiven met je vinger.

De thuisknop
De andere belangrijke knop zal je vast en zeker niet ontgaan zijn. Dat is namelijk de enige knop aan de voorkant van de iPhone. Met deze knop keer je altijd terug naar het beginscherm. Als je dus snel een ander programma van je iPhone wilt opstarten, druk je eerst op de thuisknop en vervolgens op het programma dat je wilt opstarten.

© Apple

De thuisknop zit onderop de voorkant van de iPhone.

Volumeknoppen

Tot slot zitten er aan de zijkant van je iPhone nóg twee echte knoppen. Hiermee kun je het geluid van de luidspreker tijdens het bellen harder of zachter zetten. Als je niet aan het bellen bent kun je het volume van je beltoon bepalen.

Met de volumeknoppen op de zijkant van de iPhone kun je het volume van de beltoon, de iPod of de luidspreker harder of zachter zetten.

© Apple

Naast deze knoppen aan de zijkant van de iPhone zit een klein schuifje. Hiermee kun je snel de beltoon uitschakelen en het trillen inschakelen. Handig als je ergens komt waar een beltoon kan leiden tot minder aangename reacties van je medemens. Zie pagina 57 voor meer informatie over de zogeheten stille modus.

Het aanraakscherm

●●●●●●●●●●●●●●●●●●●●●●●●●●●●

Alles draait op de iPhone om het aanraakscherm. Het scherm is zo ontworpen dat het perfect werkt met je vingers. Pennetjes zoals die eerder altijd te zien waren op zakcomputers met een aanraakgevoelig beeldscherm zijn dus volledig verleden tijd. Alle knoppen zijn groot genoeg voor je vingers.

Een programma openen

Het openen van een programma gebeurt heel simpel door met je vinger op het programma-symbool te tikken. Om het programma te sluiten, druk je op de thuisknop.

© Apple

Tik op het symbool van een programma om het te openen.

Scrollen

Bij sommige programma's kun je ook omhoog en omlaag scrollen. Dit doe je door met je vinger te slepen. Als je je vinger snel over het beeldscherm sleept zul je snel scrollen. Zo kun je bijvoorbeeld snel door alle artiesten in de iPod bladeren. Als je sleept activeer je geen functie. Je kunt wachten tot het scrollen stopt of je kunt tikken, dan zal het scrollen direct stoppen. Bij webpagina's kun je soms ook naar links of rechts slepen. Om snel naar het begin van een lijst, webpagina of e-mailbericht te gaan, tik je op de statusbalk boven het scherm van de iPhone.

Scrollen doe je door je vinger over het scherm te slepen.

Snel scrollen

Sommige lijsten hebben een index aan de rechterzijkant van het scherm. Als je snel naar een bepaald gedeelte in de lijst wilt, kun je slepen over deze index. Je gaat dan razendsnel door de lijst. Het is ook mogelijk om op een letter in de index te tikken. Je gaat dan meteen naar de vermeldingen die beginnen met deze letter.

In- en uitzoomen

Je kunt snel in- en uitzoomen als je foto's, webpagina's, e-mailberichten of kaarten bekijkt. Je beweegt dan je vingers uit elkaar om in te zoomen. Door je vingers naar elkaar toe te bewegen zoom je uit.

Bij foto's en webpagina's kun je ook snel tweemaal tikken op het gedeelte dat je beter wilt bekijken. Dit gedeelte wordt dan snel ingezoomd. Door weer tweemaal snel te tikken zoom je weer uit.

Beweeg twee vingers uit elkaar over het scherm om in te zoomen op een foto, e-mailbericht of webpagina. Beweeg twee vingers naar elkaar toe om weer uit te zoomen.

Het beginscherm

Het beginscherm is het menu van waaruit je alle programma's kunt kiezen. Je gaat altijd naar het beginscherm door de thuisknop in te drukken.

Beginscherm aanpassen

Je kunt zelf de indeling van de symbolen aanpassen. De meest gebruikte programma's kun je bijvoorbeeld bovenaan zetten.

1. Houd je vinger net zo lang op een symbool totdat ze allemaal gaan bewegen.
2. Je kunt de symbolen nu stuk voor stuk naar de gewenste plek slepen.
3. Druk op de thuisknop om de wijzigingen op te slaan. De symbolen stoppen met bewegen en je kunt nu weer programma's openen.

Je kunt ook koppelingen van je favoriete webpagina's toevoegen aan het beginscherm. Deze heten webfragmenten en worden toegelicht op pagina 72.

Extra beginschermen aanmaken

Door tijdens het rangschikken een symbool naar de rand van het scherm te slepen verschijnt er een nieuw scherm. Op het moment dat je loslaat wordt het symbool daar geplaatst. Je gaat weer terug naar het oorspronkelijke scherm door snel met je vinger te schuiven. Apple geeft je de mogelijkheid wel negen schermen aan te maken. Je moet dus wel erg

veel programma's hebben wil je er een geen plek meer kunnen geven. Als er meerdere schermen actief zijn wordt dit weergegeven met stippen aan de onderkant van het scherm. Ook kun je hieraan zien welk scherm actief is.

Houd een symbool lang ingedrukt en versleep het daarna naar een andere locatie in het beginscherm.

© Apple

Mappen met programma's maken

Omdat er heel veel Apps verkrijgbaar zijn bestaat de kans dat je iPhone overvol komt te staan met allerlei iconen. Om meer overzicht te creëren bestaat er de mogelijkheid om in iOS4 mappen te maken. Zo kun je bijvoorbeeld alle spellen in een mapje zetten. Het maken van mappen scheelt op den duur een hoop beginschermen.

Door een icoon op een ander icoon te plaatsen voeg je ze samen in een mapje. Je kunt het mapje dan ook een naam geven. Gelukkig denkt Apple met je mee want automatisch wordt er een logische naam gegeven aan het mapje.

Het maken van mappen doe je door programma's op elkaar te slepen. Open een map door deze aan te tikken.

De standaardindeling herstellen

Als je weer terug wilt gaan naar de standaard-volgorde van de symbolen zoals ze in eerste instantie waren, tik dan op **Instellingen > Algemeen > Stel opnieuw in** en tik op **Herstel beginscherm**. De symbolen worden weer keurig op hun oorspronkelijke plek teruggezet.

De statusbalk

In de statusbalk boven in het scherm van de iPhone staat de huidige tijd weergegeven. Er verschijnen ook symbolen die belangrijke informatie aangeven.

Signaalsterkte
Zoals bij vrijwel iedere telefoon is in de linker-bovenhoek de signaalsterkte (.ıll) van je netwerk te zien. Hoe meer streepjes hoe beter het bereik en de kwaliteit van het gesprek zullen zijn. Als er geen signaal is, zal er **Geen service** in de statusbalk verschijnen.

3G
Als je snel mobiel wilt kunnen internetten zal het 3G-netwerksymbool (3G) te zien moeten zijn. Je provider maakt dit op steeds meer plekken mogelijk. 3G wordt ook wel UMTS genoemd. Het is de benaming voor een technologie die snel mobiel breedbandinternet mogelijk maakt. De iPhone 3GS kan ook via HSDPA verbinden. Dit is sneller dan UMTS maar is nog niet overal beschikbaar. Je telecomprovider kan er meer over vertellen.

GPRS
Als er geen 3G-netwerk beschikbaar is, is de kans groot dat het netwerk zal overschakelen naar GPRS (O). Dit is veel trager dan 3G. GPRS is prima voor het ontvangen en verzenden van e-mail.

EDGE

Deze mobiele dataverbinding is aanzienlijk trager dan 3G. Het is toch snel genoeg om e-mail te ontvangen. Internetpagina's bevatten over het algemeen te veel data waardoor het erg lang duurt voordat ze ingeladen zijn. EDGE (E) komt in Europa zelden voor. In Amerika daarentegen veel meer.

Wi-Fi

Op steeds meer plekken kun je gebruik maken van Wi-Fi. Dit wordt vaak gebruikt om thuis of op kantoor computers draadloos te verbinden met internet. Hoe meer streepjes, hoe beter de verbinding ( ). Hoe je Wi-Fi instelt, staat op pagina 39.

Netwerkactiviteit

Zodra de iPhone draadloos wordt gesynchroniseerd of er vinden netwerkactiviteiten plaats, wordt een draaiend symbool ( ) weergegeven. Veel programma's van andere fabrikanten gebruiken dit symbool ook om aan te geven dat het programma bezig is met het laden van gegevens.

Batterij

Een van de belangrijkste symbolen is die van de batterijlading ( ). Dit symbool geeft een indicatie over de capaciteit ervan. Zie ook pagina 42.

Hangslot

Als er een hangslot ( ) in de statusbalk staat, betekent het dat je iPhone vergrendeld is. Je moet deze dan eerst ontgrendelen, zie pagina 25.

Afspelen

Als je muziek afspeelt verschijnt het afspeelsymbool ( ) in beeld. Lees hierover op pagina 81.

Wekker

Je kunt de iPhone gebruiken als wekker. Als deze is ingeshakeld verschijnt een klein klokje ( ) in de statusbalk. Hoe dit werkt lees je op pagina 105.

Bluetooth

De iPhone kun je draadloos verbinden met andere Bluetooth-apparaten. Als het Bluetooth-symbool blauw is ( ), betekent het dat er een headset of carkit is aangesloten. Een grijs symbool geeft aan dat het wel ingeschakeld is maar er geen apparaten zijn aangesloten. Zie pagina 41 voor meer informatie.

Vliegtuigmodus

De iPhone kan in één keer alle draadloze voorzieningen uitschakelen. Dit doe je door gebruik te maken van de vliegtuigmodus ( ). Je hebt dan geen toegang tot internet, kunt niet bellen en je kunt ook geen gebruik maken van Bluetoothverbindingen. Alle andere mogelijkheden van de iPhone kun je wel blijven gebruiken. Even luisteren naar je favoriete nummer is dus gewoon mogelijk. Schakel de vliegtuigmodus in of uit bij **Instellingen** > **Vliegtuigmodus**.

Batterij Bluetooth-headset

Als de Apple Bluetooth-headset is verbonden wordt de batterijlading hiervan weergegeven ( ).

Het toetsenbord

●●●●●●●●●●●●●●●●●●●●●●●●●●●●

Bij de meeste programma's zul je gebruik maken van een toetsenbord. Als je tikt op een leeg tekstveld verschijnt dit toetsenbord onder in het scherm. De toetsen lijken erg klein, maar oefening baart kunst.

Tekst intikken

Gevorderden kunnen heel snel tikken met beide duimen. De meesten zullen gewoon met hun wijsvinger tikken. Iedere letter die je aantikt verschijnt groot in beeld. Als je per ongeluk de verkeerde letter aantikt verschuif je je vinger zodat je de juiste letter aanraakt. Pas op het moment dat je de letter loslaat wordt de letter ingevoerd.

Gebruik het toetsenbord om letters in te voeren; tik ze een voor een aan. Het toetsenbord is 'slim'. Dat betekent dat het zichzelf aanpast aan jouw tikstijl en spelfouten.

Speciale tekens

De meeste functies zijn net zoals bij een groot toetsenbord bij een computer. Je kunt meer (speciale) tekens krijgen door op de nummertoets 123 en daarna op de symbooltoets #+= te tikken. Gebruik de shift-toets (⇧) om een hoofdletter in te voeren.

Je kunt ook snel speciale tekens invoeren door je vinger op het scherm te houden nadat je op 123 hebt getikt en dan je vinger naar het teken te slepen dat je wilt gebruiken.

Accenten (zoals é, à of ø) vind je als je je vinger wat langer op een letter stilhoudt. Druk je bijvoorbeeld lang op de A dan verschijnt er een balk met daarin de varianten van de a met accenten.

Houd een toets ingedrukt voor de accenten.

Meerdere talen

De iPhone heeft verschillende toetsenbordinstellingen. Daardoor is het ingebouwde toetsenbord van de iPhone goed te gebruiken voor de meest voorkomende talen. Als je gebruik wilt maken van een internationaal toetsenbord of als je toetsenbord-instellingen wilt wijzigen, doe je dit:

1. Ga naar **Instellingen** vanuit het beginscherm.
2. Tik op **Algemeen**, vervolgens op **Landinstellingen** en tik dan op **Toetsenborden**.

3. Schakel de gewenste toetsenborden in. Voor sommige talen zijn er meerdere toetsenborden beschikbaar.

Als je meerdere toetsenborden hebt geselecteerd, kun je tijdens het tikken schakelen tussen de toetsenborden door op ⌨ te tikken. De actieve taal wordt dan kort weergegeven in de spatiebalk.

Woordenboek

Om het tikken nog makkelijker te maken, wordt er gebruik gemaakt van een ingebouwd woordenboek. De iPhone heeft spellingswoordenboeken voor alle ondersteunde talen. Dankzij het woordenboek worden er tijdens het tikken correcties of suggesties gedaan. Je hoeft niet te stoppen met tikken om het voorgestelde woord te accepteren.

Suggesties accepteren of verwerpen

Als de iPhone een suggestie doet, verschijnt in het klein de suggestie in beeld. Als je de suggestie niet wilt gebruiken tik je op het kruisje naast het woord dat gesuggereerd wordt. Als de suggestie steeds wordt geweigerd zal de suggestie na verloop van tijd niet meer verschijnen. Als je het voorgestelde woord wilt gebruiken, tik je op spatie, een interpunctieteken of op de returntoets.

Autocorrectie aan- of uitschakelen

Vind je het maar vervelend dat de iPhone suggesties geeft op jouw getypte teksten, dan kun je de autocorrectie ook uitschakelen. Ga daarvoor naar **Instellingen** > **Algemeen** > **Toetsenbord** en zet daar de schakelaar achter **Autocorrectie** uit (of aan om het weer in te schakelen).

Bij voornamelijk langere woorden en tikfouten laat de iPhone een suggestie zien. Tik je gewoon door, dan wordt de suggestie gebruikt. Tik je op de suggestie zelf (op het kruisje) dan gebruikt de iPhone deze juist niet.

De suggesties en correcties die de iPhone doet zijn niet voor iedereen even handig. Gelukkig is deze functie uit te schakelen.

Tekst bewerken

Om de cursor in een bericht te verplaatsen, heeft Apple een handige functie ingebouwd. Je kunt je vinger op het scherm houden waarna er een vergrootglas in beeld komt met daarin een knipperende cursor. Door je vinger te slepen kun je het precieze invoegpunt aangeven. Haal je vinger van het scherm om verder te tikken.

Plaats je vinger op de tekst en houd deze even stil. Er verschijnt een vergrootglas waarmee je de cursor kunt verplaatsen.

© Apple

Tekst selecteren, kopiëren en plakken

Sinds de laatste software op de iPhone is het mogelijk om op een makkelijke manier tekst te selecteren, te kopiëren, te plakken en eventueel te verwijderen. Dit is handig als je bijvoorbeeld tekst uit een ontvangen e-mail wilt gebruiken in een nog te versturen e-mail. Of als je een gedeelte van een notitie wilt versturen als tekstbericht. Het mooie

van de functie is dat het werkt tussen alle verschillende programma's op de iPhone.

Tekst selecteren

Om een gedeelte uit de tekst te selecteren, houd je eerst je vinger op het scherm waarna er een vergrootglas verschijnt. Beweeg dit vergrootglas naar het woord of het tekstgedeelte dat je wilt selecteren door je vinger over het beeldscherm te bewegen. Zodra je je vinger van het scherm haalt, verschijnt er boven de cursor een zwarte balk met een drietal opties:

Selecteer Tik hierop als je het woord wilt selecteren op de plek waar de cursor nu knippert.

Selecteer alles Als je op deze knop tikt, wordt alle tekst op deze pagina geselecteerd.

Plak Heb je eerder al een stuk tekst of een woord geselecteerd en gekopieerd, dan kun je het op de plaats van de cursor plakken.

Een balk met die knoppen geeft aan dat je tekst kunt selecteren of plakken op de plek van de cursor.

Tik op **Selecteer** of **Selecteer alles** om tekst te selecteren. Er verschijnt een blauwe balk over de tekst met aan het begin en aan het eind een tweetal bolletjes die het begin en het einde van de selectie aangeven.

Een selectie wordt blauw weergegeven met bolletjes aan het begin en eind.

Door met je vinger op het scherm een van de blauwe bolletjes over de tekst te verschuiven, vergroot of verklein je de selectie. Een vierkant vergrootglas wordt getoond om de selectie preciezer te kunnen maken. Je kunt over meerdere regels van een tekst gaan met je vinger om zo dus meerdere regels van de tekst te selecteren. Als je alle tekst hebt geselecteerd, haal je je vinger van het scherm.

Verschuif een van de blauwe bolletjes om de selectie te vergroten of te verkleinen.

© Apple

Tekst knippen

Een ander woord voor knippen is verwijderen. Zodra je tekst hebt geselecteerd kun je in de zwarte balk boven de selectie op de knop **Knip** tikken om de selectie direct te verwijderen.

Tekst kopiëren

Als je tekst hebt geselecteerd, kun je deze kopiëren. Dat kun je doen om de geselecteerde tekst in een ander (of hetzelfde) programma te gebruiken. Bijvoorbeeld tekst uit een e-mail in een SMS. Of een tekst van een website in een notitie. Tik op de knop **Kopieer** om de tekst op te slaan in het geheugen van de iPhone. In elk ander programma op de iPhone kun je deze selectie plakken.

Tekst plakken

Zodra je tekst hebt gekopieerd volgens voorgaande handelingen, kun je deze plakken in een andere tekst. Houd je vinger even stil op de plek waar je de tekst wilt plakken. Het vergrootglas verschijnt weer en de knipperende cursor geeft de plek aan waar de tekst geplakt gaat worden. Haal je vinger van het scherm en tik op de knop **Plak** in de zwarte balk boven de cursor. De eerder geselecteerde en gekopieerde tekst wordt nu op de plaats van de cursor ingevoegd.

Opmerking Houd er rekening mee dat je maar een stuk tekst tegelijkertijd kunt kopiëren. De tekst blijft net zolang in het geheugen staan totdat je een nieuw stuk tekst kopieert.

Groter toetsenbord

Binnen vrijwel alle programma's op de iPhone is het mogelijk om een groter toetsenbord te gebruiken. De toegang tot dat grotere toetsenbord is simpel: draai de iPhone een kwartslag. In de programma's die dat ondersteunen zal het beeld mee draaien en het toetsenbord over de volledige breedte van het beeldscherm worden getoond. De knoppen van het toetsenbord zijn nu wat groter en daardoor makkelijker te gebruiken.

Draai de iPhone een kwartslag en het toetsenbord draait mee.

Duimen

Veel mensen die al wat langer met de iPhone werken, zullen zichzelf aanleren om met twee duimen te typen. De iPhone kun je dan ook het beste een kwartslag draaien, met twee handen vasthouden en met je duimen op het toetsenbord tikken.

Zoeken op de iPhone

De iPhone kan zoveel informatie bevatten, dat je soms even niet meer weet waar je het moet zoeken. Van welke artiest was ook alweer dat ene nummer? Die e-mail van mijn baas, waar is die? Gelukkig heeft de iPhone *Spotlight* aan boord. Hiermee kun je op een snelle manier vrijwel alles terugvinden wat op je iPhone opgeslagen staat.

Spotlight kun je vinden in het beginscherm. Het meest linker beginscherm is namelijk het Spotlight-scherm. Sleep met je vinger net zo vaak over het beginscherm van links naar rechts totdat je in het Spotlight-scherm bent. Je kunt ook een aantal keer op de thuisknop drukken.

Het meest linker beginscherm is het Spotlight-scherm. Hier kun je zoeken naar bestanden en gegevens op je iPhone, supersnel.

Zodra je in het Spotlight-scherm bent, verschijnt een lege zoekbalk en het toetsenbord in het scherm. Je kunt direct beginnen met tikken. Al nadat je de eerste letter hebt ingetikt verschijnen er resultaten in een overzichtelijke lijst.

De iPhone kan zoeken op: e-mails, contactgegevens, muziek en films uit iPod, activiteiten in de agenda, notities en op de naam van programma's. De resultaten worden getoond in een lijst. Tik de onderdelen in de lijst aan om deze te openen.

Zoekresultaten instellen

Ga naar **Instellingen** > **Algemeen** > **Thuisknop** > **Zoekresultaten** om in te stellen welke resultaten de iPhone wel en niet toont en in welke volgorde.

Multitasking

Dankzij multitasking kun je meerdere apps tegelijkertijd open hebben. Je zult je misschien afvragen wat hier het voordeel van is. Het voordeel verschilt per programma. Bij het gratis te downloaden programma 'Skype' is het voordeel zeker aanwezig. Skype is een chatprogramma waarmee je ook kunt bellen. Dankzij multitasking blijf je nu altijd 'online'. Ook als je de thuisknop indrukt, blijf je bereikbaar voor anderen. In de eerdere versies van de iPhone was dat nog niet het geval en moest Skype altijd open blijven staan.

Tussen programma's wisselen

Door de thuisknop twee keer achter elkaar snel in te drukken verschijnen de openstaande programma's onderin beeld. Door met je vinger naar links te vegen krijg je andere openstaande apps te zien als dat het geval is.

Druk tweemaal kort achter elkaar op de thuisknop om te zien welke programma's er actief zijn en snel te wisselen tussen deze programma's.

Programma's afsluiten

Als je een app definitief wilt afsluiten houd je je vinger lang ingedrukt op een app. De apps gaan dan trillen en er verschijnt een rondje met daarin een witte streep. Tik hierop als je de app wilt afsluiten.

Tik op de rode bolletjes om actieve programma's af te sluiten.

Schermvergrendeling

Het was je natuurlijk al lang opgevallen dat de iPhone het beeld aanpast als je hem een kwartslag draait. Dit gebeurt automatisch maar kan ook onhandig zijn. Bijvoorbeeld als je ligt. Daarom is het mogelijk om de paginarichting te vergrendelen. Het beeld van de iPhone zal dan niet meer worden aangepast, hoe je hem ook houdt. Het vergrendelen doe je door twee keer snel achter elkaar op de thuisknop te drukken. Als je nu je vinger naar rechts sleept verschijnt er links een cirkel met daarin een pijl. Als je hierop tikt zie je dat er een slot in de cirkel verschijnt. Het scherm zal nu niet meer meedraaien als je de iPhone een kwartslag draait.

Met de knop links kun je de schermvergrendeling inschakelen.

Snelle knoppen voor iPod

Zoals je hierboven ook al zag, staan er naast de vergrendelknop ook knoppen om de iPod te bedienen. Met deze knoppen kun je de basis iPod-functies bedienen. Je hoeft hiervoor dus niet terug te gaan naar het hoofdscherm en vervolgens op de iPod te klikken.

Stembediening (3GS en 4)

Je kunt de iPhone 3GS niet alleen bedienen met je vingers maar ook met je stem. Handig als je bijvoorbeeld handsfree wilt bellen in de auto. Je kunt naast de telefoon ook de iPod-functies bedienen met je stem. Om stembediening te gebruiken houd je de thuisknop ingedrukt tot het stembedieningsscherm wordt weergegeven. Je kunt de iPhone-koptelefoon ook gebruiken voor stembediening. Je moet dan de selectieknop lang ingedrukt houden.

Hieronder zie je de commando's die je de iPhone kunt geven. Nadat je een commando hebt gegeven zal de iPhone 'terugpraten', dus schrik niet!

Bel een persoon uit je contacten
Zeg 'bel' of 'kies' en zeg de naam van de persoon die je wilt bellen. Voeg 'mobiel' of 'thuis' toe als er de keuze is uit meerdere nummers.

Een handeling annuleren
Zeg 'fout', 'niet doen', 'niet', 'nee', 'stop' of 'annuleer'.

Een artiest, album of afspeellijst afspelen
Zeg 'speel af' en zeg vervolgens artiest, album of de afspeellijst die je wilt horen.

Speel de muziek in willekeurige volgorde
Zeg 'shuffle'.

Meer informatie opvragen over het huidige nummer dat wordt afgespeeld
Zeg 'hoe heet dit nummer', 'welk nummer is dit', 'wie zingt dit nummer' of 'van wie is dit nummer'.

Vergelijkbare nummers afspelen
Zeg 'Genius' of 'speel soortgelijke af'.

Tips voor stembediening
Hieronder een aantal tips voor de stembediening:
- Spreek in de microfoon van de iPhone alsof je een telefoongesprek voert; schreeuwen heeft geen zin. Je kunt uiteraard ook de microfoon in de koptelefoon gebruiken.
- Spreek duidelijk en spreek op natuurlijke wijze.
- Spreek alleen commando's, namen en nummers uit die op de iPhone aanwezig zijn. Herkent de iPhone het niet, probeer het opnieuw en maak je er zeker van dat de naam of het nummer wel in de iPhone voorkomt.
- Pauzeer kort tussen de verschillende opdrachten, namen of nummers.
- Gebruik volledige namen.

Taal wijzigen
Stembediening is standaard ingesteld in dezelfde taal als die van de iPhone (**Instellingen** > **Algemeen** > **Landinstellingen** > **Taal**). Bij de instellingen van **Stembediening** kun je een andere taal instellen. Voor het programma iPod is stembediening altijd ingeschakeld.

Toegankelijkheid

Voor mensen met een visuele en/of auditieve handicap zitten er in de iPhone 3GS of 4 (dus helaas niet in de iPhone 2G of 3G) een aantal voorzieningen die het voor deze mensen makkelijker maken om met de iPhone te kunnen werken. Macgebruikers kennen veel van de functies al van de computer, maar deze zijn nu dus ook op de iPhone beschikbaar.

Toegankelijkheid instellen
Om deze verschillende functies in of uit te schakelen, ga je naar **Instellingen** > **Algemeen** > **Toegankelijkheid**.

Zet de verschillende functies voor Toegankelijkheid aan of uit.

VoiceOver

Voor mensen die slecht kunnen zien, kan de iPhone alles dat in het scherm verschijnt voorlezen. Niet alleen menu's en knoppen, maar ook tekst uit e-mails, tekstberichten en websites. Activeer VoiceOver met behulp van de schakelaar. Vanaf nu kun je onderdelen op het scherm aantikken om de iPhone voor te laten lezen wat er staat. Let erop dat als je een geselecteerd onderdeel wilt openen of activeren, je nu dubbel moet tikken.

Zoomen

Zet je deze optie aan dan kun je door met drie vingers op het scherm te tikken snel in- en uitzoomen op het scherm.

Wit op zwart

Hiermee veranderen de kleuren van het scherm van de iPhone. Sommige mensen kunnen nu beter lezen wat er op het scherm staat.

Monogeluid

Ben je aan een oor slechthorend of doof, dan is het vaak hinderlijk dat er stereogeluid uit de koptelefoon van de iPhone komt, omdat je dan gedeeltes van de muziek niet goed hoort. Zet **Monogeluid** aan om dit probleem op te lossen.

Spreek invultekst

Deze optie laat de iPhone de suggesties en correcties uitspreken zodra je tekst gaat tikken in een e-mail, tekstbericht of notitie.

iPhone-verbindingen

De vele programma's die in de iPhone staan werken veelal met data. Wil je dus gebruikmaken van alle functies dan moet er een verbinding zijn met internet. Er zijn twee belangrijke verbindingsmogelijkheden.

Wi-Fi en 3G

Dat is allereerst Wi-Fi. Wi-Fi zorgt voor draadloos internet in huis of kantoor. Het heeft een relatief klein bereik van ongeveer 30 meter, maar als je dichtbij de zender bent kan het zeer snel internet opleveren. Daarnaast kan de iPhone heel snel data ontvangen en verzenden via het mobiele netwerk. Hierdoor ben je dus echt draadloos, want overal waar je bereik hebt via je provider kun je ook internetten, bijvoorbeeld in het park.

Wi-Fi instellen

De iPhone kan snel weergeven welke draadloze (Wi-Fi) netwerken beschikbaar zijn. Je kunt ook aangeven op welk netwerk je wilt inloggen om er gebruik van te maken.

1. Tik op **Instellingen** vanuit het beginscherm.
2. Tik op **Wi-Fi**.
3. Er wordt nu automatisch gezocht naar alle netwerken. De netwerknamen verschijnen nu in beeld. Het slotje (🔒) geeft aan of het netwerk beveiligd is met een wachtwoord.

4. Tik op het netwerk waarvan je gebruik wilt maken.
5. Eventueel moet je nu het wachtwoord van het netwerk invoeren. Tik op **OK** als je dit gedaan hebt.

Je kunt het Wi-Fi-netwerk aangeven waarop je wilt inloggen. Een slotje achter de naam geeft aan dat het beveiligd is met een wachtwoord.

De iPhone onthoudt de wachtwoorden van de Wi-Fi-netwerken. Dus de volgende keer dat je op dezelfde locatie Wi-Fi wilt gebruiken, zal de iPhone automatisch inloggen op dat netwerk.

3G instellen

Bij gebruik van een 3G-, EDGE- of GPRS-netwerk kun je verbinding maken met het internet via het mobieletelefoonnetwerk van je provider.
Als in de statusbalk boven in het scherm van de iPhone een 3G- (**3G**), EDGE- (**E**) of GPRS-sym-bool (**O**) wordt weergegeven, heeft de iPhone via het mobieletelefoonnetwerk verbinding met het internet.

Ga vanuit het beginscherm naar **Instellingen** > **Algemeen** > **Netwerk** en zet de schakelaar achter **Schakel 3G in** aan om 3G te activeren. 3G is een zeer snelle internetverbinding maar verbruikt aanzienlijk meer stroom dan 'gewone' verbindingen. Schakel 3G dus uit als je de batterij wilt sparen.

Tethering

De iPhone kan razendsnel internetten. Dat kan dankzij de 3G-verbinding die je provider op steeds meer plekken levert. Het zou natuurlijk fantastisch zijn als je de internetverbinding van je iPhone kunt delen met bijvoorbeeld je laptop. Dan kun je dus dankzij de internetverbinding van je iPhone overal met je laptop internetten. Met de introductie van software versie 3.0 is dat in sommige landen mogelijk. De iPhone is dan draadloos verbonden met je computer via Bluetooth. De iPhone fungeert dan als een modem. Een mobiele telefoon als modem gebruiken heet *tethering*. Helaas is *tethering* niet in alle landen toegestaan, simpelweg omdat de providers bang zijn voor te veel dataverkeer. In Nederland en België is *tethering* nog niet toegestaan.

Dataroaming

Als je je buiten het bereik van de provider bevindt, kun je mogelijk via een andere provider verbinding met het internet maken. Dit is bijvoorbeeld in het buitenland het geval. Om overal toegang te hebben tot e-mail, websites en andere gegevensdiensten, moet je dataroaming inschakelen.

Tik op **Instellingen** > **Algemeen** > **Netwerk** en schakel vervolgens dataroaming in bij **Dataroaming**. De schakelaar wordt blauw als dataroaming actief is.

Opmerking Aan dataroaming zijn mogelijk kosten verbonden. Als je wilt voorkomen dat er kosten voor dataroaming in rekening worden gebracht, schakel je dataroaming uit.

Schakel 3G en dataroaming in of uit. Zet de schakelaar achter Mobiele data uit als je niet wilt dat je iPhone verbinding maakt met een datanetwerk.

Bluetooth

Dankzij de ingebouwde Bluetooth-voorziening kun je de iPhone makkelijk draadloos verbinden met andere apparaten. Als losse accessoire is de iPhone Bluetooth-headset verkrijgbaar. Met deze headset kun je handsfree bellen. Ook is het mogelijk om gebruik te maken van een Bluetooth-carkit of -headset van een ander merk.

Bluetooth en de iPhone 3GS

De nieuwe iPhone 3GS is voorzien van een nieuw type Bluetooth. Dat houdt in dat het in de toekomst ook mogelijk is om naar muziek te luisteren met draadloze Bluetooth-koptelefoons.

De Apple Bluetooth-headset

Voordat de Apple Bluetooth-headset in gebruik kan worden genomen, moet hij eerst worden gekoppeld aan de iPhone. Dit gebeurt met de Bluetooth-reiskabel. Door deze kabel aan te sluiten op de iPhone, de headset in de connector te pluggen en de USB-stekker in de computer te pluggen, worden de apparaten automatisch gekoppeld. De headset wordt dan meteen opgeladen. De Apple Bluetooth-headset bevat een knopje waarmee het mogelijk is gesprekken aan te nemen en te beëindigen.

Een Bluetooth-carkit of -headset koppelen

Als je de iPhone wilt gebruiken in de auto met een Bluetooth-carkit of -headset moet deze eerst gekoppeld worden. Er moet eerst een verbinding tot stand worden gebracht. Ga naar **Instellingen > Algemeen > Bluetooth > Schakel Bluetooth in**. Kies vervolgens het apparaat en voer de cijfercode in. Deze code wordt verschaft door de fabrikant van de Bluetooth-carkit of -headset en staat in de daarbij meegeleverde handleiding.

Opmerking Veel mobiele telefoons zijn in staat om onderling bestanden uit te wisselen via Bluetooth. Helaas geldt dat niet voor de iPhone. Er zijn inmiddels een aantal programma's in de App Store beschikbaar die dat wél kunnen! Zie pagina 118.

De batterij
•••••••••••••••••••••••••••••••

De iPhone bevat veel geavanceerde maar stroomverslindende functies. Als je bepaalde functies inschakelt, zul je merken dat de batterij sneller leeg zal zijn. Daarom is het aan te raden deze functies alleen in te schakelen als je ze ook daadwerkelijk gebruikt en nodig hebt.

Batterijduur verlengen
Hieronder vind je een aantal tips om de batterijduur te verlengen.

Bluetooth uitschakelen
Als je geen gebruik maakt van Bluetooth dan kun je dat het beste uitschakelen. Dit doe je bij **Instellingen > Algemeen > Bluetooth**.

Wi-Fi uitschakelen
Je telefoon is altijd online omdat je telefoonprovider UMTS of de langzamere variant GPRS aanbiedt. Daarom kan het overbodig zijn om je telefoon ook altijd te laten zoeken naar Wi-Fi. Door Wi-Fi uit te schakelen gaat je batterij nog langer mee. Als je vindt dat je een te langzame internetverbinding hebt via UMTS kun je altijd Wi-Fi weer inschakelen en zodoende sneller internetten. Wi-Fi uitschakelen kun je bij **Instellingen > Wi-Fi**.

De helderheid van je scherm aanpassen
Een van de grootste stroomvreters van de iPhone is het beeldscherm. Natuurlijk ziet het er mooi uit, maar dit kost ook veel energie. Je kunt de helderheid handmatig aanpassen. Dit vind je bij **Instellingen > Helderheid**.

Schakel Push uit en geef bij Fetch aan met welke interval de iPhone naar nieuwe gegevens moet zoeken.

Push uitschakelen

Als je gebruikmaakt van MobileMe of Microsoft Exchange dan maakt de iPhone gebruik van zogeheten 'push'-technologie. De iPhone controleert dan continu of er nieuwe e-mail is. Ook worden contactgegevens en agenda's continu gesynchroniseerd met een server. Je kunt dit uitzetten en instellen dat je e-mail bijvoorbeeld ieder half uur automatisch wordt binnengehaald. Je batterij gaat hierdoor veel langer mee. Je kunt dit instellen bij **Instellingen > Mail, Contacten, Agenda > Nieuwe gegevens**.

Batterij opladen

Als de batterij bijna op is, zul je eerst een aantal mededelingen krijgen dat de batterijlading nog 20% of zelfs 10% vol is. Als de batterij helemaal op is, verschijnt er een symbool van een batterij met een dun rood streepje in het beeldscherm. Je moet de iPhone nu aansluiten op de USB-poort van een computer of op de meegeleverde lader. Het kan zijn dat de batterij dusdanig leeg is dat de telefoon weer even 'wakker' moet worden. Als je de iPhone hebt aangesloten aan de netvoeding of computer kan het enige tijd duren voordat de iPhone weer tot leven komt. Denk dus niet meteen dat de iPhone kapot is. In de statusbalk geeft een batterij-symbool aan dat de iPhone aan het laden is, danwel vol is.

 De batterij van de iPhone is aan het opladen.

De batterij is volledig opgeladen.

Je kunt in de iPhone bijhouden hoelang de batterij het al volhoudt zonder tussentijds op te laden. Ga naar **Instellingen > Algemeen > Gebruik** en je vindt daar de tijd in uren en minuten.

Een nieuwe batterij

De iPhone heeft een lithium-lion-batterij. Dat betekent dat je de batterij niet telkens helemaal leeg hoeft te laten lopen voordat je hem opnieuw oplaadt. Het is wel verstandig dit af en toe te doen. Dit komt de algehele levensduur van de batterij ten goede.

Je zult na een aantal jaren merken dat de batterij in prestaties afneemt. Helaas kun je de batterij niet zelf vervangen. Hiervoor moet je contact opnemen met Apple of je telecomprovider.

© Apple

De iPhone geeft aan dat de batterij helemaal leeg is. Sluit deze aan op een computer of de oplader!

Problemen oplossen

Helaas komt het wel eens voor dat de iPhone niet helemaal doet wat hij zou moeten doen. In dit hoofdstuk staat een aantal oplossingen voor veelvoorkomende problemen. Mocht je de oplossing hier niet kunnen vinden, kijk dan op de website van Apple *www.apple.nl/support/nl/iphone*.

De iPhone reageert niet

Voer onderstaande stappen uit als de iPhone nergens op reageert:

- Sluit de iPhone aan op de oplader, mogelijk is de batterij leeg (zie pagina 42).
- Houd de aan/uit- en thuisknop tegelijk ingedrukt totdat het Apple-logo in beeld verschijnt. Op deze manier wordt de iPhone opnieuw opgestart.
- Mocht dit niet werken, herstel dan de software van de iPhone. Sluit de iPhone aan op de computer, open iTunes en klik in het samenvattingsvenster op de knop **Herstel**.

Een programma 'loopt vast'

Ondanks dat programma's altijd grondig getest worden voor gebruik op de iPhone, kan het voorkomen dat een programma vastloopt en daarom niet meer reageert. Houd de aan/uit-knop lang ingedrukt om de iPhone uit te zetten. Zet deze daarna opnieuw aan. Soms wil het lang ingedrukt houden van de thuisknop ook helpen.

iTunes wil niet synchroniseren

Soms gebeurt het dat iTunes niet goed synchroniseert of de iPhone helemaal niet herkent. Onderstaand een aantal mogelijke oplossingen die je kunt proberen als dit voorkomt.

- Laad de batterij van de iPhone op, deze is mogelijk leeg (zie pagina 42);
- Koppel alle USB-apparaten los van de computer en probeer eventueel een andere USB 2.0-poort op je computer te gebruiken;
- Houd de aan/uit- en thuisknop tegelijk ingedrukt totdat het Apple-logo in beeld verschijnt. Op deze manier wordt de iPhone opnieuw opgestart;
- Installeer de nieuwste versie van iTunes, ga daarvoor naar *www.apple.com/nl/itunes* en download de laatste versie.

Deze melding betekent niet dat het accessoire niet werkt met de iPhone, maar dat er geen goede werking gegarandeerd kan worden.

De melding 'Dit accessoire is niet bedoeld voor de iPhone' verschijnt

Deze melding geeft aan dat het accessoire (bijvoorbeeld speakerset, lader of carkit) niet specifiek geschikt is gemaakt voor de iPhone. Het kan zijn dat deze helemaal niet werkt, maar in de meeste gevallen zal alleen het opladen van de iPhone niet werken. Het venster dat in beeld verschijnt geeft je de keuze om de vliegtuigmodus te activeren. Doe je dit, dan kun je niet meer bellen, sms'en of internetten met de iPhone.

Bellen lukt niet

Het kan zijn dat het je niet lukt om gesprekken te starten. Een aantal punten waarop je moet letten:

- Kijk of je bereik hebt van een mobiel signaal. Controleer het aantal streepjes van de signaalsterkte in de statusbalk (zie pagina 29). Sta je binnen, ga dan eventueel bij een raam staan.
- Controleer of de vliegtuigmodus niet per ongeluk is ingeschakeld. Zie pagina 30.
- Misschien is er een storing aan het netwerk, neem contact op met je telecomprovider.
- Herstart de iPhone door de aan/uit- en de thuisknop tegelijk ingedrukt te houden totdat het Apple-logo in beeld verschijnt.

E-mail versturen lukt niet

Ondanks dat je alle instellingen goed hebt overgenomen toen je het e-mailaccount ging instellen, gebeurt het toch vaak dat het versturen van e-mail niet lukt. Dat komt omdat de instellingen voor het

De iPhone wordt warm

De iPhone werkt alleen bij een bepaalde temperatuur. Ben je in een te warme omgeving en wordt de iPhone te warm, dan zal deze niet meer werken en is het alleen mogelijk om alarmnummers te bellen. Breng de iPhone zo snel mogelijk naar een koelere omgeving. Als het probleem vaker voorkomt, neem je contact op met je leverancier.

versturen van e-mail nogal afhankelijk zijn van de locatie (lees: netwerk-aanbieder). De zogeheten *server voor uitgaande post* (SMTP-server) moet ingesteld worden op de provider waarvan je op dat moment het datanetwerk gebruikt. Thuis (via je eigen Wi-Fi-netwerk bijvoorbeeld) is dat je internet serviceprovider. Maar onderweg is dat T-Mobile in Nederland of Mobistar in België, omdat je dan gebruik maakt van 3G, het datanetwerk van je telecomprovider.

Daarom is het vaak noodzakelijk om de instellingen voor de *server uitgaande post* aan te passen op mobiel gebruik. Ga naar **Instellingen** > **Mail, Contacten, Agenda** en tik de account aan die je wilt wijzigen. Vul bij **Server uitgaande post** de juiste server in. Neem contact met je telecom serviceprovider als je wilt weten wat hiervoor de juiste instellingen zijn.

Telefoon, sms en contacten

Bellen, gebeld worden, berichten en contactgegevens op de iPhone

●●

Het gedeelte 'Phone' in iPhone staat natuurlijk voor telefoon. Naast het bellen en gebeld worden, kun je zogeheten conferentiegesprekken voeren, Visual Voicemails ontvangen en beantwoorden. Uiteraard kun je ook sms'jes versturen. Het zal voor zich spreken dat je voor deze functies een iPhone-compatibel abonnement nodig hebt bij een telecomprovider. Natuurlijk mag in een goede telefoon ook de mogelijkheid tot het toevoegen en wijzigen van contactgegevens niet ontbreken. Lees in dit hoofdstuk alles over het 'Phone'-gedeelte op de iPhone en je zult zien dat het erg makkelijk in gebruik is!

Onder in de balk kies je voor Favorieten, Recent, Contacten, Toetsen of Voicemail.

De telefoon

Om te bellen moet je eerst vanuit het beginscherm op het symbool **Telefoon** tikken. Dit herken je aan het groene vierkant met daarin een telefoonhoorn. Zodra Telefoon is gestart zie je onder in het scherm een vijftal knoppen. Deze knoppen bieden snel toegang tot de bijbehorende onderdelen.

Favorieten Hier kun je een lijst aanmaken met nummers die je wellicht vaak gaat bellen. Zo hoef je niet elke keer te zoeken naar een naam, maar staat deze klaar voor gebruik. Zie pagina 49.

Recent Tik je hierop dan zie je een lijst met recent gebelde nummers en ontvangen of gemiste op-

roepen. Er staat eventueel een rood rondje bij met daarin het aantal gemiste oproepen. Zie pagina 54.

Contacten Achter deze knop vind je de complete lijst met contacten in de iPhone. Je kunt hier gegevens toevoegen en wijzigen of direct een gesprek starten met anderen. Zie pagina 66 voor meer informatie over het toevoegen van gegevens en het wijzigen van contactgegevens.

Toetsen Hier kun je direct een nummer intikken om dit te bellen. Zie pagina 48.

Voicemail Als je voicemailberichten ontvangt omdat je je telefoon niet opgenomen hebt toen iemand je belde, dan verschijnen deze hier. Een rood rondje met daarin het aantal ontvangen voicemails staat bij het symbool. Elke iPhone-compatibele telecomprovider biedt een dienst aan die *Visual Voicemail* heet. Dat betekent dat voicemailberichten als losse berichten op de iPhone verschijnen. Lees vanaf pagina 54 meer over Visual Voicemail.

Toetsen tikken

Om direct een nummer te bellen tik je op de knop **Toetsen** in de telefoonapplicatie. Gebruik de cijfertoetsen om het telefoonnummer in te tikken. De delete-knop rechts onderin verwijdert een eventueel verkeerd ingetikt cijfer. Tik op de grote groene knop met **Bel** erin om het gesprek te starten.

Toets een nummer in en tik op Bel om een gesprek te starten.

Om een + toe te voegen aan een telefoonnummer als je naar het buitenland wilt bellen (bijvoorbeeld +49 voor Duitsland, +32 voor België of +31 voor

Nederland), houd je de **0** lang ingedrukt. Na een seconde verschijnt er een +.

Om een ingetikt nummer op te slaan in de contactenlijst of toe te voegen aan een bestaand contact, tik je op het symbool van het silhouet met het plusteken ernaast (**+**). Kies dan voor **Maak nieuw contact** of **Zet in bestaand contact**. Lees verder op pagina 66 over het toevoegen van gegevens aan contactpersonen.

Voeg een nummer toe aan de lijst met contacten. Kies voor een nieuw of bestaand contact.

Contactpersonen

Tik je op de knop **Contacten** in de telefoonapplicatie dan krijg je een lijst te zien van alle contactpersonen in de iPhone. Deze worden gesynchroniseerd met je computer elke keer dat je de iPhone aansluit aan je computer en synchroniseert met iTunes. Lees op pagina 13 over het synchroniseren van contactgegevens in iTunes.

namen. Het maakt niet uit of je op voor-, achter- of bedrijfsnaam zoekt.

Een overzichtelijke lijst met contactpersonen waar je doorheen scrolt door je vinger op en neer op het scherm te bewegen.

Helemaal boven aan de lijst met contacten vind je een zoekveld waar- mee je snel een persoon kunt terugvinden.

Om een nummer te bellen scrol je in de lijst naar de gewenste naam en tik je erop. Om snel door een lange lijst te bladeren, tik je aan de rechterzijde van het venster op een letter uit het alfabet om hier direct naar toe te springen.

Je kunt ook snel een contactpersoon opzoeken door de naam in te tikken. Tik eerst helemaal bo- venin het scherm (daar waar de huidige tijd staat in de statusbalk), je bent dan helemaal bovenaan de lijst met contactpersonen. Tik daarna op het woord **Zoek** in de zoekbalk. Het toetsenbord ver- schijnt. Tik de naam in van degene die je zoekt. Er verschijnt vrijwel direct een lijst met gevonden

Tik op een contactpersoon om het gegevensvenster te openen. In dit venster vind je alle gegevens van de contactpersoon. Dit kan een telefoonnummer, een e-mailadres, een postadres, een verjaardag of nog veel meer zijn. Om een persoon te bellen, tik je op het telefoonnummer in het gegevensvenster. Het gesprek wordt direct gestart.

Voor het wijzigen en toevoegen van contactgege- vens kun je verder lezen op pagina 66.

Favorieten toevoegen en bellen

Je kunt in de iPhone een lijstje met veelgebruikte telefoonnummers aanmaken. Tik daarvoor in de telefoonapplicatie op **Favorieten**. Om een favoriet toe te voegen tik je rechts bovenin op de knop met het plusteken. Scrol daarna in de volledige lijst naar de contactpersoon die je wilt toevoegen aan de favorietenlijst en tik erop. Als een contactpersoon meerdere telefoonnummers heeft, dan kun je in een volgend venster het gewenste telefoonnummer aantikken. Het gekozen telefoonnummer wordt direct toegevoegd aan de favorietenlijst. Om een persoon te bellen uit de favorietenlijst hoef je er simpelweg één keer op te tikken.

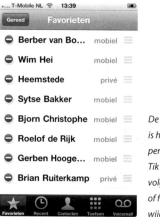

De lijst met favorieten is handig als je snel een persoon wilt bellen. Tik op Wijzig als je de volgorde wilt wijzigen of favorieten wilt verwijderen.

Om een persoon weer te verwijderen uit de lijst met favorieten tik je eerst op de knop **Wijzig** linksboven in het venster. Tik dan op het rode symbool (●) voor de persoon en vervolgens op de knop **Verwijder**. Om de volgorde van de lijst met favo-

rieten te wijzigen kun je ook aan de rechterzijde op de ribbels (≡) van de contactpersoon tikken en deze naar boven of beneden slepen. Ben je klaar, tik je op de knop **Gereed** in de linkerbovenzijde.

Gebeld worden

Op het moment dat je gebeld wordt door iemand verschijnt het telefoonnummer of de naam (als deze in de lijst met contactpersonen voorkomt) van de beller in beeld. Om de oproep te beantwoorden tik je op de knop **Antwoord**. Mocht de iPhone vergrendeld zijn, dan moet je de schuifknop **Beantwoord** van links naar rechts slepen.

Als je gebeld wordt, kun je de oproep weigeren of beantwoorden. Heb je een foto bij een contactpersoon ingesteld, dan verschijnt deze ook in beeld.

Heb je net de headset in gebruik omdat je lekker naar muziek aan het luisteren bent, dan kun je op de microfoonknop (op het snoer ervan) drukken

Oproep zonder geluid

Zodra je een oproep ontvangt waarvan je het belsignaal tijdelijk wilt uitschakelen dan kun je op de vergrendelknop of op een van de volumeknoppen drukken. De oproep wordt niet direct geweigerd, dus je hebt nog de tijd om het gesprek op te nemen totdat deze vanzelf wordt doorgeschakeld naar de voicemail.

om de oproep te beantwoorden. De muziek zal automatisch gepauzeerd worden en verder gaan op het moment dat je weer ophangt.

De microfoonknop

© Apple

Een oproep weigeren

Het kan natuurlijk zijn dat je geen zin hebt in een gesprek of domweg geen tijd. Je kunt een inkomende oproep dan weigeren; de beller wordt direct doorgeschakeld naar je voicemail. Je kunt het volgende doen:

■ Tik op de knop **Weiger**. Deze knop is alleen zichtbaar als de iPhone niet vergrendeld is.

■ Tweemaal snel achter elkaar op de aan/uit-knop boven op de iPhone drukken.
■ De microfoonknop van de headset twee seconden ingedrukt houden. Er klinken twee pieptonen en de oproep wordt geweigerd.

Tijdens een gesprek

Als je een telefoongesprek voert, zul je de iPhone tegen je oor aan houden. Het scherm zal automatisch uitschakelen om zo onbedoelde invoer op het aanraakscherm tegen te gaan. Zodra je de iPhone weer van je oor haalt, gaat het scherm weer aan.

Tijdens een gesprek zijn er een aantal opties te kiezen.

Tijdens een telefoongesprek verschijnt er een aantal knoppen in beeld. De grootste en meest aanwezige is de rode knop met **Stop gesprek** erop. Tik hierop om het gesprek te beëindigen.

Geluid uit Tik op deze knop om het geluid van de microfoon van de iPhone uit te schakelen. Je kunt de beller nog wel horen, maar de beller jou niet. Tik weer op **Geluid aan** om het geluid weer in te schakelen.

Toetsen Gebruik deze knop om een nummer in te tikken. Bijvoorbeeld een keuzemenu voor doorschakelen of een telefoonnummer dat je doorkrijgt en later moet terugbellen.

In het midden van het venster vind je tijdens een gesprek een zestal knoppen met ieder een specifieke functie.

Luidspreker Als je op deze knop tikt, dan wordt de luidspreker van de iPhone geactiveerd. Je kunt nu 'handsfree' bellen. Is er een Bluetooth-apparaat aan de iPhone gekoppeld, dan heet deze knop **Audiobron** en kun je dus schakelen tussen Bluetooth-apparaat, iPhone of luidspreker.

Voeg toe Tijdens een telefoongesprek kun je andere personen bellen om ze te laten deelnemen aan dat gesprek. Zie de volgende pagina.

Contacten Moet je voor iemand een telefoonnummer of andere contactgevens opzoeken? Tik dan op **Contacten** om de lijst met contacten te openen. Het gesprek blijft actief. Je kunt ook tijdens een gesprek een ander programma openen. Druk daarvoor tijdens een gesprek op de thuisknop en open de gewenste applicatie.

Dubbelgesprek

Het kan natuurlijk gebeuren dat je tijdens het bellen, gebeld wordt door een ander. Mocht dit gebeuren dan verschijnen er drie knoppen in beeld.

Negeer Het tweede gesprek wordt direct doorgeschakeld naar de voicemail en het eerste gesprek blijft actief.

In wacht en antwoord Zet het eerste gesprek in de wacht en beantwoord het inkomende gesprek. Eventueel kun je later het eerste en het tweede gesprek samenvoegen tot een conferentiegesprek door te tikken op **Voeg samen**.

Stop en antwoord Beëindig het huidige gesprek en beantwoord het inkomende gesprek.

Indien je twee gesprekken aan het voeren bent en de andere lijn is in de wacht, dan kun je de knop **Wissel** aantikken om te wisselen van gesprek. De andere lijn gaat dan in de wacht.

Conferentiegesprek

Tijdens een gesprek kun je op de knop **Voeg toe** tikken om een conferentiegesprek te starten. Op

deze manier kun je met meerdere mensen tegelijkertijd praten. De anderen kunnen ook met elkaar praten. Afhankelijk van de provider kun je met vijf personen tegelijkertijd bellen. Ga als volgt te werk:

1. Start een gesprek.
2. Tik op **Voeg toe** en tik dan in de lijst met contactpersonen een persoon aan. Het eerste gesprek wordt tijdelijk in de wacht gezet.
3. Tik vervolgens op **Voeg samen**. Jij en de andere twee bellers kunnen nu tegelijkertijd praten over één lijn.
4. Herhaal eventueel stap 2 en 3 om nog meer personen toe te voegen aan het conferentiegesprek.

Als je eenmaal een conferentiegesprek hebt opgestart, wil je misschien even tegen één persoon iets zeggen wat de anderen niet hoeven te horen. Tik op de knop **Conferentie**, vervolgens op **Privé** achter de naam van een persoon. De andere gesprekken worden in de wacht gezet. Tik weer op **Voeg samen** om het conferentiegesprek voort te zetten. Om een persoon uit het conferentiegesprek te verwijderen, tik je op **Conferentie**, daarna op het rode symbool met de hoorn erin achter de naam van een persoon en ten slotte op **Stop**.

Recente en gemiste oproepen

Van alle gesprekken en gemiste oproepen wordt een lijst bijgehouden in de iPhone. Tik in de telefoonapplicatie op **Recent** om deze lijst te bekijken. Een rood rondje met daarin een getal geeft aan

of je gemiste oproepen hebt gehad. In de lijst met recente oproepen kun je een naam of nummer aantikken om dit direct opnieuw te bellen.

Een lijst met recente oproepen en gesprekken.

Gemiste oproepen worden in het rood weergegeven. Het tijdstip waarop de oproep plaatsvond staat achter de naam. Tik erop om direct te bellen. Tik je op het blauwe rondje achter de naam, dan begin je niet direct een gesprek maar kun je de contactgevens bekijken of een nummer opslaan.

FaceTime

Een fantastische nieuwe functie die alleen op de iPhone 4 zit is FaceTime. Dankzij de ingebouwde camera die aan de voorkant zit kun je tijdens het bellen elkaar ook zien. Een soort video conferencing dus. Helaas werkt dit tot nu toe alleen met andere iPhone 4 gebruikers en moeten beide gebruikers gebruik maken van een Wi-Fi-verbinding.

FaceTime zorgt ervoor dat je elkaar kunt zien tijdens het bellen!

Voor het starten van een FaceTime gesprek kun je tijdens het bellen op FaceTime tikken. Het duurt dan vervolgens even voordat er een verbinding tot stand wordt gebracht. Je hoort elkaar nu niet alleen maar je ziet elkaar ook. Door op 'camera wissel' te tikken wordt de camera aan de achterzijde van de iPhone geactiveerd en kun je de ander laten zien wat jij ziet. Er zijn geen extra kosten verbonden aan het gebruik van FaceTime. Tijdens het gesprek gelden dus de normale tarieven zoals je die ook gewend bent.

Visual Voicemail

Als je niet op tijd bent met het opnemen van een oproep, een oproep weigert of de iPhone uit hebt staan, wordt de beller automatisch doorgeschakeld naar je voicemail. Na het horen van een in te stellen begroeting kan de beller een bericht achterlaten. Dankzij de dienst die Visual Voicemail heet, kun je de ingesproken berichten op elk willekeurig moment terugluisteren, zo vaak je wilt.

Visual Voicemail instellen
De eerste keer dat je vanuit de telefoonapplicatie op de knop **Voicemail** tikt, moet je een wachtwoord ingeven voor je voicemailinstellingen. Voer een code in en tik op **Ga door**.

Om het wachtwoord later te wijzigen ga je vanuit het beginscherm naar **Instellingen** > **Telefoon** > **Wijzig voicemailwachtwoord**.

Een persoonlijke begroeting
Zodra een beller wordt doorgeschakeld naar je voicemail, hoort hij of zij eerst een standaard begroeting. Deze begroeting kun je wijzigen in een persoonlijk ingesproken begroeting. Deze begroeting is te allen tijde te veranderen.

1. Tik in de telefoonapplicatie op **Voicemail**.
2. Tik op **Begroeting** linksboven in het venster en daarna op **Aangepast**.

3. Tik op **Neem op** en de opname wordt gestart. Er loopt een rood balkje mee om aan te geven hoe lang je begroeting is. Spreek een begroeting in. Het is aan te raden om dit in een rustige omgeving te doen, zodat je stem duidelijk opgenomen wordt.

4. Tik op **Stop** als je klaar bent met het opnemen van de begroeting. Tik daarna op **Speel af** om de opgenomen begroeting af te luisteren.

5. Herhaal stappen 3 en 4 als je ontevreden bent met de opname en een nieuwe opname wilt maken.

6. Tik op **Bewaar** als je de opname wilt opslaan.

Stel een persoonlijke begroeting in, of kies de standaard begroeting van je telecomprovider.

Wil je toch de standaard begroeting van je telecomprovider gebruiken? Tik dan op **Voicemail** > **Begroeting** > **Standaard**.

Een nieuw voicemailbericht

Zodra je een voicemailbericht hebt ontvangen wordt dit door de iPhone op een aantal manieren duidelijk gemaakt:

■ Er verschijnt een rood rondje met daarin het aantal gemiste oproepen en ontvangen voicemailberichten naast het symbool van de telefoonapplicatie in het beginscherm.

■ Een rood rondje met daarin het aantal onbeluisterde voicemailberichten verschijnt ook naast de knop **Voicemail** in de telefoonapplicatie zelf.

■ De iPhone laat een geluid horen. Dit kun je in- of uitschakelen vanuit het beginscherm onder **Instellingen** > **Geluiden**. Zet de schakelaar achter **Nieuwe voicemail** aan of uit.

Het aantal nog niet beluisterde voicemailberichten wordt rechtsonder in het scherm weergegeven.

Voicemailberichten beluisteren

In de telefoonapplicatie tik je op **Voicemail** als je berichten wilt beluisteren. Tik op de naam of het nummer van het bericht om deze af te spelen. Met de pauze- en afspeelknop kun je het afspelen van het bericht onderbreken en weer hervatten. Tik op de knop **Luidspreker** rechtsboven in het venster om het bericht over de luidspreker af te spelen.

De voicemail wordt afgespeeld zodra je de naam van de beller aantikt.

Wil je degene die het bericht heeft ingesproken direct terugbellen? Tik dan op de groene knop **Bel terug**. Om het bericht te verwijderen tik je op **Verwijder**. Verwijderde berichten worden nog een tijd bewaard in een map. Tik op de map **Verwijderde berichten** om deze handmatig te legen (met de knop **Wis alles**) of om verwijderde berichten weer terug te halen (de knop **Herstel verwijderen**).

Om de contactgegevens van de beller te bekijken, tik je op het blauwe bolletje (⊙) achter de naam van de beller. Hier kun je ook een nog niet opgeslagen nummer toevoegen aan een contact of opslaan als een nieuwe contactpersoon. Tevens kun je in dit venster een tekstbericht of e-mail sturen.

Visual Voicemail is niet beschikbaar

Het kan zijn dat door kleine problemen bij de telecomprovider Visual Voicemail tijdelijk niet beschikbaar is. Ook in het buitenland kan dit het geval zijn. Mocht Visual Voicemail niet beschikbaar zijn, tik je op de knop **Bel voicemail** en volg je de gesproken instructies op.

Beltonen

De iPhone laat uiteraard een geluid horen als je een oproep ontvangt. Dit geluid is gelukkig helemaal naar smaak aan te passen. Je kunt het geluid zelfs uitzetten, want je wilt natuurlijk niet gestoord worden tijdens een vergadering of etentje. Door de trilfunctie van de iPhone kun je eventueel nog wel oproepen beantwoorden, zelfs als het geluid uit staat.

Beltonen instellen

Om het type geluid en het volume ervan in te stellen ga je vanuit het beginscherm naar **Instellingen**. Daarna tik je op **Geluiden**.

Stel naar eigen smaak een beltoon in.

Onder het kopje ✱ **Geluid uit** kun je aangeven of de trilfunctie ingeschakeld dient te zijn zodra het geluid van de iPhone uit staat.

Onder het kopje ▲ **Beltoon** kun je aangeven of de trilfunctie ook ingeschakeld moet zijn als het geluid van de iPhone wel aan is. Met de schuifknop kun je het volumeniveau van de beltonen aangeven. Schuif deze meer naar rechts voor een harder geluid.

Tik op **Beltoon** om de beltoon te wijzigen die klinkt zodra er een oproep binnenkomt. Er wordt een aantal standaard beltonen op de iPhone meegeleverd, zoals Blaffen, Flipperkast of Pianoriedel. Tik er een aan om de beltoon vooraf te kunnen beluisteren. Ben je tevreden met de beltoon, dan

tik je op de knop **Geluiden** linksboven om deze te gebruiken.

Als je op **Nieuw tekstbericht** tikt, kun je het geluid voor een nieuw tekstbericht (sms) wijzigen. Tik op de knop **Geluiden** als je het geluid wilt gebruiken.

De overige aan- en uitknoppen in het venster (zoals Nieuwe e-mail, Verstuurde e-mail en Toetsenbordklik) kun je gebruiken om de bijbehorende geluiden in of uit te schakelen. Dit zijn overigens geluiden die je (helaas) niet kunt wijzigen.

Het geluid van de iPhone uitzetten
Je kunt op een makkelijke manier het geluid van de iPhone uitzetten. Aan de linkerbovenzijde van de iPhone zit een kleine schakelaar om het geluid uit of aan te zetten. Als je deze schakelaar naar links schuift verschijnt er een klein oranje stipje. Dit betekent dat de iPhone in de stille modus staat. Zet je de schakelaar weer naar rechts, dan is het geluid weer aan.

Aan de linkerzijkant van de iPhone zit een schakelaar waarmee je de stille modus snel kan in- of uitschakelen. Het oranje stipje betekent dat de stille modus actief is.

Niet verslapen hè!

Als het geluid van de iPhone uit staat, wordt het geluid van de wekker nog wel weergegeven. Je hoeft niet bang te zijn dat je je per ongeluk verslaapt als het geluid uit staat! Staat de iPhone uit, dan zal de wekker niet af gaan...

Vanuit het beginscherm kun je bij **Instellingen** > **Geluiden** > **Geluid uit** aangeven of de trilfunctie wel of niet actief dient te zijn in de stille modus.

Ieder z'n eigen beltoon

Je kunt elke contactpersoon in de iPhone een persoonlijke beltoon geven. Zo kun je aan de beltoon al horen wie er belt. Ga daarvoor naar **Telefoon** > **Contacten**. Zoek naar de gewenste contactpersoon en tik erop. Tik dan op **Beltoon** en kies een beltoon uit de lijst. Deze beltoon zal nu klinken zodra de desbetreffende persoon je belt.

Zelf beltonen toevoegen

Je kunt direct op de iPhone beltonen downloaden, ga daarvoor naar het programma iTunes Store (zie pagina 115) en tik onderin de balk op **Beltonen**. Beltonen zijn helaas niet gratis, ze kosten gemiddeld 99 eurocent per stuk.

Mac-gebruikers kunnen met het programma *GarageBand*, dat wordt meegeleverd met elke Mac, ook makkelijk beltonen voor hun iPhone maken.

Berichten

Met de iPhone kun je tekstberichten aan anderen sturen. In de volksmond worden dit ook wel sms'jes genoemd. Sms staat voor *Short Message Service*, en houdt in dat je een kort tekstbericht naar een andere mobiele telefoon kunt sturen.

Ook veel vaste telefoonnummers kunnen tegenwoordig tekstberichten verwerken, maar de telefoon van de ontvanger moet hier wel geschikt voor zijn.

Een lijst met conversaties met anderen gesorteerd op datum.

Nieuw op de iPhone is de mogelijkheid om mms'jes te versturen. Mms staat voor *Multimedia Service* en betekent dat de iPhone ook een foto, een opgenomen geluidsbestand of bijvoorbeeld contactgegevens kan versturen. Kijk op pagina 62 voor meer info over de mms-functie.

Een tekstbericht versturen

Om een sms te kunnen versturen moet je eerst de berichtapplicatie openen. Dat doe je door in het beginscherm te tikken op de groene knop met daarin een tekstballonnetje.

1. Tik rechtsboven in het venster op de knop voor **Nieuw bericht** (📝).
2. Begin met het intikken van de naam van degene aan wie je een sms wilt versturen. Er verschijnt een lijst met namen en nummers. Tik een naam aan om deze te gebruiken.
3. Gebruik de blauwe ronde knop (⊕) om even-

tueel nog meer namen toe te voegen. Zo kun je in één keer meerdere personen hetzelfde tekstbericht versturen. De personen weten niet van elkaar dat zij hetzelfde bericht van je ontvangen en krijgen het antwoord van anderen ook niet te zien.

4. Tik nu in het tekstvak links van de knop **Stuur**. Een knipperende cursor geeft aan dat je kunt beginnen met het intikken van het bericht. Meer informatie over het werken met tekst op de iPhone vind je op pagina 31.
5. Als je klaar bent met het intikken van het bericht, tik je op de knop **Verstuur** om het bericht te verzenden.

Typ een bericht en tik vervolgens op Stuur om het bericht te verzenden.

Een lang bericht

Een sms kan traditiegetrouw niet langer zijn dan 160 tekens. De iPhone lost dat op door eventuele langere berichten samen te voegen en te verzenden als meerdere berichten. Je merkt hier als gebruiker van de iPhone helemaal niets van. Je kunt het tekstbericht zo lang maken als je zelf wilt. Houd er wel rekening mee dat langere berichten worden verzonden als meerdere sms'jes en dus ook van je sms-tegoed bij je provider af gaan. Ga naar **Instellingen** > **Berichten** en zet de knop aan achter **Toon tekens** om het aantal ervan weer te geven boven de knop **Stuur**.

Als het bericht verzonden wordt, zie je een balk in het venster verschijnen. Er klinkt een geluid zodra het bericht verzonden is.

Vanuit Telefoon kun je ook direct een tekstbericht versturen. Tik daar op **Favorieten** of **Recent** en daarna op het blauwe bolletje (⊙) achter de naam. Tik in het venster met contactgegevens op de knop **Bericht** om het contact direct een sms of mms te sturen.

Vanuit de lijst met contactgegevens kan dit ook, kies daarvoor eerst de naam en tik daarna op de knop **Tekstbericht**. Als er meerdere telefoonnummers zijn opgeslagen in de contactgegevens van de persoon kies je eventueel het goede nummer.

Een tekstbericht ontvangen

Als je van een ander een sms ontvangt, wordt dat door de iPhone op een aantal manieren getoond:

- Er klinkt een beltoon (alleen als het geluid van de iPhone aan staat).
- Er verschijnt een rood rondje met daarin het aantal ongelezen berichten naast het symbool van de tekstapplicatie.
- Is de iPhone vergrendeld, dan verschijnt de tekst van het ontvangen bericht in beeld. Versleep de schuifknop om de iPhone te ontgrendelen. Tik dan op **Antwoord**, om het tekstbericht te bekijken en te beantwoorden. Tik op **Annuleer** als je dit later wilt doen.

De volledige conversatie met een persoon wordt bewaard in de iPhone.

Niet gelezen tekstberichten worden in de lijst met conversaties aangegeven met een blauw bolletje voor de namen van de afzenders (●). Zo kun je direct zien van wie je nog een ongelezen bericht hebt dat je wellicht nog moet lezen en beantwoorden.

Een tekstbericht beantwoorden

Tik je op de tekstapplicatie vanuit het beginscherm dan kun je tekstberichten altijd teruglezen. De iPhone bewaart alle gesprekken die je hebt gevoerd met personen in een overzichtelijke lijst met alle conversaties.

Tik op de naam om de conversatie te bekijken. Tik in het conversatievenster op het tekstvak onderin het venster om direct een antwoord in te tikken. Tik op **Verstuur** om het bericht te verzenden.

In het conversatievenster kun je helemaal bovenin tikken op de knop **Bel** om de persoon direct te bellen. Tik je op **Contactinfo**, dan kun je contactgegevens van de afzender bekijken of wijzigen. Wil je het nummer toevoegen aan de lijst met contacten, tik dan op **Zet in contacten**.

Conversaties of berichten verwijderen

In de lijst met conversaties tik je op de knop **Wijzig** om conversaties te verwijderen. Tik op het rode rondje voor de naam en daarna op de knop **Verwijder** om de volledige conversatie met die persoon te verwijderen.

Je kunt dit ook doen door met je vinger snel van links naar rechts te slepen over de naam en daarna te tikken op **Verwijder**.

Binnen een conversatie is het ook mogelijk om een enkel bericht te verwijderen. Om dat te doen tik je in een conversatie op de knop **Wijzig** en tik je de berichten aan die je wilt verwijderen. Er verschijnen rode bolletjes voor de berichten die verwijderd gaan worden. Tik daarna op de knop **Verwijder** onder in beeld om ze daadwerkelijk te verwijderen.

Een bericht doorsturen

Je kunt op een makkelijke manier een bericht doorsturen. Binnen de conversatie tik je op de knop **Wijzig** en tik je het bericht aan dat je wilt doorsturen aan een ander. Er verschijnt een rood rondje voor het bericht dat je gaat doorsturen. Je kunt zelfs meerdere berichten aantikken om ze door te sturen. Tik dan op de knop **Stuur door** onder in beeld. Tik de naam in van degene aan wie je het bericht wilt versturen en tik op **Verstuur**.

Tik op Wijzig en daarna op een rood bolletje om een conversatie te verwijderen of een enkel bericht te verwijderen of door te sturen.

Mms-berichten

Sinds de laatste software-update op de iPhone is het mogelijk om mms-berichten te versturen en te ontvangen. Een mms-bericht bevat naast tekst bijvoorbeeld ook een foto, video (alleen op iPhone 3GS of 4) of geluidsfragment. Je moet hierbij echter met twee dingen rekening houden: de ontvanger dient deze mogelijkheid te hebben op haar of zijn telefoon en je provider berekent extra kosten voor het versturen van een mms. Raadpleeg de website van je telecomprovider voor de laatste tarieven van het versturen van mms-berichten.

Een mms-bericht versturen

Het versturen (en ontvangen) van een mms-bericht werkt niet heel veel anders dan een tekstbericht. Alleen kun je er dus ook een foto, een video of een geluidsfragment aan toevoegen.

Zodra je een nieuw bericht aan iemand gaat sturen, kun je op een makkelijke manier een foto of video toevoegen, door op het icoon van de camera (⊙) te tikken dat zich links naast het tekstvak voor het bericht bevindt.

Tik op het camera-icoon om een foto of video toe te voegen aan het bericht.

Nadat je op deze knop hebt getikt, krijg je de keuze of je een foto (of video) wilt maken of dat je een

bestaande foto (of video) wilt toevoegen. Maak die keuze door op de gewenste knop te tikken:

- Kies je voor **Maak foto** of **Maak foto of video** op de iPhone 3GS dan springt de iPhone direct in de cameramodus en kun je een foto (of een filmpje) maken. Kijk op pagina 90 voor meer info over het maken van foto's of video's. Nadat je de foto (of video) hebt gemaakt, tik je op de knop **Gebruik** om deze aan het bericht toe te voegen.

- Kies je voor **Kies bestaande**, dan zie je een lijst van alle foto's (en video's) op de iPhone en kun je daar een keuze uit maken. Tik op de knop **Kies** om deze toe te voegen aan het mms-bericht.

Maak een foto (of filmpje) om deze toe te voegen aan een bericht.

Een foto (of video) wordt in een kader getoond binnen het bericht.

Mms in- en uitschakelen

Aangezien je telecomprovider een extra bedrag rekent voor het versturen van mms, is het mogelijk de mms-functionaliteit uit te schakelen. Zo kom je niet voor onverwachte kosten te staan. Het uitschakelen van mms doe je bij **Instellingen > Berichten**. Daar zet je de schakelaar uit achter **Mms-berichten** als je geen mms-berichten wilt kunnen versturen. Als je nu een bericht gaat versturen aan iemand, zul je merken dat de knop met het camera-icoon simpelweg niet meer aanwezig is naast het tekstvak. Dus kun je ook niet 'per ongeluk' een mms-bericht versturen.

Een toegevoegde foto (of video) wordt in een apart kader binnen het bericht getoond. Voeg eventueel nog tekst toe door deze in te tikken op het toetsenbord en tik op **Stuur** als je het bericht wilt versturen.

Een mms-bericht ontvangen

Als je een foto (of video) van iemand ontvangt dan wordt dat bestand getoond in de lijst met berichten van een persoon. Elke foto (of video) krijgt zijn eigen ballonnetje en door op zo'n ballonetje te tikken krijg je een vergroting te zien van de foto of een weergave van de video. Deze foto of video is zelfs op te slaan in het geheugen van de iPhone door bij de vergrote weergave te tikken op de knop 📤 en te kiezen voor **Bewaar afbeelding**. De foto of video wordt opgeslagen in de filmrol.

Een ontvangen mms wordt ook in een ballon getoond. Tik erop om een vergrote weergave te zien en het bestand eventueel op te slaan in de iPhone.

Contacten

Om volledig gebruik te kunnen maken van de tele-foon-, sms- en e-mailfuncties van de iPhone is het natuurlijk handig om een lijst met contactgegevens aan te leggen. Alle contactgegevens worden op de iPhone bewaard in de applicatie Contacten. Hier kun je contacten toevoegen, wijzigen en verwijderen. Alle andere applicaties die met contactgegevens werken (zoals Telefoon, Berichten en Mail), halen hier de juiste gegevens vandaan.

Contacten synchroniseren met iTunes

Uiteraard heb je op je computer al het een en ander aan contactgegevens staan. Als je een Mac hebt, staan deze in het programma Adresboek. Op een pc met Windows gebruik je wellicht Outlook Express, Vista Contactpersonen of Microsoft Outlook. Via iTunes is het mogelijk om deze gegevens uit de verschillende programma's te synchroniseren met de iPhone. Let er wel op dat je met Windows maar één programma tegelijkertijd kunt synchroniseren.

Het handige aan synchroniseren met de computer is, dat als je contactgegevens wijzigt op de iPhone deze na een synchronisatie ook automatisch gewijzigd worden op de computer en vice versa. Voor meer informatie over het synchroniseren van contactgegevens zie vanaf pagina 13.

Contactgegevens zoeken

Om contactgegevens te bekijken, tik je in het beginscherm van de iPhone op **Contacten**. Er verschijnt een lijst met alle contacten op de iPhone. Je kunt hier makkelijk doorheen bladeren door je vinger van boven naar beneden of van beneden naar boven te slepen over het scherm.

Aan de rechterzijde van het venster staan alle letters van het alfabet. Tik en sleep hierop om direct naar een bepaalde letter te springen.

Tik helemaal bovenin het venster (op de huidige tijd in de statusbalk) om naar het begin van de lijst te gaan. Hier kun je zoeken naar namen door in de zoekbalk te tikken en een naam in te voeren.

Zoek snel een contactpersoon door helemaal bovenin de lijst het zoekveld te gebruiken.

De lijstweergave wijzigen

De weergave van de lijst met contactpersonen kun je wijzigen. Je kunt kiezen of je eerst de voornaam en dan de achternaam wilt zien of juist andersom. Om dit in te stellen tik je in het beginscherm op **Instellingen > Mail, Contacten, Agenda**. Scrol in dit venster iets naar beneden en onder het kopje **Contacten** kun je aangegeven hoe de contactpersonen weergegeven en gesorteerd moeten worden.

Geef aan hoe de lijst met contacten gesorteerd en weergegeven moet worden. Je kunt hier ook contacten van je simkaart importeren.

SIM-contacten importeren

Het kan zijn dat je al een aantal contactgegevens op je SIM-kaart hebt staan. Deze kun je importeren door naar **Instellingen > Mail, Contacten, Agenda** te gaan en dan op **Importeer simcontacten** te tikken. Deze komen in het geheugen van de iPhone te staan en zijn direct te gebruiken.

Gegevens bekijken en gebruiken

Als je de juiste persoon hebt gevonden, tik je deze aan om de gegevens van dit contact te bekijken. Er verschijnt een venster met alle gegevens die in de iPhone staan van dat contact.

Tik op **Alle contacten** links bovenin om weer terug te gaan naar de complete lijst met contacten.

Een overzicht van de mogelijke gegevens bij een contactpersoon. Dit zijn telefoonnummers, e-mailadressen, websites, adressen en eventueel een verjaardag en notities.

Om een persoon te bellen, tik je het gewenste te-lefoonnummer aan. De iPhone zal direct een ge-sprek starten. Om de beltoon voor deze persoon te wijzigen, tik je op **Beltoon** en tik je een gewenste beltoon aan.

Om een e-mail te sturen aan deze persoon, tik je het gewenste e-mailadres aan. De mailapplicatie opent en je kunt direct een bericht intikken. Klik daarna op **Verstuur** om de e-mail te versturen. Meer over e-mailen lees je vanaf pagina 75.

Als je de website van de persoon of het bedrijf wilt bezoeken, tik je het adres (de URL) ervan aan. Safari opent automatisch en gaat direct op zoek naar de website en laat deze zien. Meer over Safari vind je op pagina 69.

Tik het adres van een persoon aan en het wordt getoond op een kaart. Je kunt nu eventueel ook een routebeschrijving laten tonen naar dit adres. Lees hierover meer op pagina 98.

Gegevens wijzigen en toevoegen

Zodra je in het venster met contactgegevens van een persoon of bedrijf bent, kun je gegevens wij-zigen of toevoegen. Tik daarvoor eerst op de knop **Wijzig** rechtsboven in het scherm.

Om een telefoonnummer, e-mailadres of adres te wijzigen, tik je dit aan en vul je het opnieuw in. Door op de tweede balk die in beeld verschijnt te tikken, kun je het label van de gegevens wijzigen. Bijvoorbeeld privé, werk of iets anders. Tik hele-maal onderin deze lijst op **Voeg aangepast label toe** om een zelf bedacht label toe te voegen en te gebruiken. Tik op de knop **Bewaar**.

Tik op Wijzig en daarna op een veld om de in-houd ervan te wijzigen.

Om gegevens toe te voegen, tik je op de groene plusknop (⊕) voor de gewenste gegevens. Tik bijvoorbeeld op **Voeg telefoon toe** om een telefoon-nummer toe te voegen. Tik het telefoonnummer in, kies een label uit het keuzemenu en tik op **Bewaar** om de gegevens op te slaan.

Wil je een compleet nieuw veld toevoegen aan de gegevens, dan kun je tikken op de knop **Voeg veld toe** helemaal onder aan de lijst. Hier kies je een veldnaam en tik je de gegevens in. Om gegevens te verwijderen, tik je op het rode rondje (⊖) voor het gewenste veld en tik je direct daarna op **Verwijder**.

Tik een leeg veld aan om nieuwe gegevens in te voeren. Tik op het label om daar de naam van te veranderen (bij-voorbeeld 'iPhone').

Contacten toevoegen
Als je in de lijst met contactpersonen bent, vind je rechtsboven in het scherm een knop met daarin een plusteken. Tik deze aan om een nieuw contact toe te voegen aan de iPhone. Tik de velden aan om

de gegevens toe te voegen. Tik na het invoeren van gegevens telkens op de knop **Bewaar**.

Contacten verwijderen
Om een contact volledig te verwijderen uit de iPhone zoek je eerst het gewenste contact op en open je de contactgegevens. Tik vervolgens op **Wijzig** en daarna op de rode knop **Verwijder contact** die helemaal onder aan de lijst met gegevens staat. Dit moet je bevestigen door nogmaals op **Verwijder contact** te tikken.

Een foto toevoegen aan een contact
Het is natuurlijk leuk om foto's toe te voegen aan contacten. Zo kun je niet alleen de naam zien van degene die je belt, maar zie je ook zijn of haar foto in beeld verschijnen. Het toevoegen van een foto gaat als volgt:

1. Tik op **Contacten** en zoek de gewenste contact-persoon.
2. Tik op **Wijzig** rechtsbovenin.
3. Tik op **Voeg foto toe** of op de bestaande foto in het vierkantje linksboven in het venster.
4. Kies voor **Maak foto** om de camerafunctie van de iPhone te gebruiken om de foto te maken. Je kunt ook op **Kies bestaande foto** tikken om vervolgens vanuit je Foto's een foto te kiezen.
5. Sleep de foto of zoom in of uit om de foto op de geschikte plaats uit te snijden.
6. Tik op **Stel foto in**. De foto wordt nu opgesla-gen bij de contactpersoon.

Internet

Alles over internet op de iPhone; Safari en Mail

Safari

Internetten op een telefoon is nog nooit zo eenvoudig geweest als op de iPhone. Met de ingebouwde webbrowser Safari kun je internetten net zoals op een normale computer. Het Safari symbool is te herkennen aan het blauwe kompas. Door er op te tikken wordt het programma geopend en wordt meteen de startpagina weergegeven.

Webpagina's openen

Het openen van een webpagina doe je door te tikken op het adresveld. Tik vervolgens het webadres in en tik op **Ga**.

Als het adresveld niet zichtbaar is, tik dan op de statusbalk. Je scrolt dan snel naar boven zodat je meteen de pagina kunt invullen.

Tijdens het intikken van het webadres doet de iPhone suggesties voor webadressen die met dezelfde letters beginnen. Dit zijn pagina's die je hebt opgeslagen als bladwijzer of onlangs hebt bezocht. Als een van deze suggesties juist is, tik je op het betreffende adres om de pagina weer te geven. Als de pagina die je wilt bezoeken niet als suggestie wordt weergegeven kun je gewoon door tikken.

Makkelijk surfen over het internet

Scrollen en met name in- en uitzoomen komen erg goed van pas tijdens het surfen. Ga naar pagina 26 als je hier meer over wilt weten. Om het surfen over het internet nog makkelijker te maken kun je de iPhone een kwartslag draaien. De website wordt dan in breedbeeld weergegeven. Met name voor het lezen van tekst is dit prettig.

Draai de iPhone een kwartslag om webpagina's beter te kunnen bekijken. Gebruik je vinger(s) om in- en uit te zoomen en te scrollen door de pagina.

© Apple

De tekst in het adresveld wissen

Als je een nieuw webadres wilt invullen, zal er vaak al een webadres staan van de pagina die op dat moment wordt vertoond. Als je snel een nieuw adres wilt invoeren moet je natuurlijk eerst het bestaande adres weghalen. Je kunt dan gebruikmaken van de backspace-toets maar veel sneller is door te tikken op ⊗. Het veld is dan meteen leeg zodat je de nieuwe website kunt invoeren.

Tik op het adresveld en tik een webadres in.

Zoeken op het internet

Voor het zoeken op internet maakt de iPhone standaard gebruik van Google. Je kunt ook instellen dat je Yahoo! als standaard zoekmachine wilt gebruiken. Als je wilt zoeken op internet tik dan op het vergrootglas (**Q**). Je kunt dan de zoekterm(en) opgeven en op de knop **Google** klikken. Google zal direct de zoekresultaten weergeven. Door op een koppeling te tikken wordt de bijbehorende pagina geopend.

Gebruik het zoekveld om een Google- of Yahoo!-zoekopdracht uit te voeren. Terwijl je tikt krijg je alvast een aantal suggesties te zien waar je direct op kunt tikken.

Yahoo! als zoekmachine instellen

Mochten de zoekresultaten van Google niet voldoende zijn dan kun je instellen dat Yahoo! de standaard zoekmachine voor Safari wordt. Tik dan vanuit het beginscherm op **Instellingen** > **Zoekmachine**, kies daar voor **Yahoo!**.

Bladwijzers

Als je een interessante of leuke pagina tegenkomt kun je het webadres hiervan opslaan. Dit wordt een bladwijzer genoemd. Je kunt dan snel terug naar dat specifieke webadres zonder het hele adres in te hoeven tikken.

Een bladwijzer toevoegen

Open de pagina die je wilt opslaan en tik op de plusknop onder in beeld (✚). Tik dan op **Voeg bladwijzer toe**. Je kunt nu de naam wijzigen. Tik op **Bewaar** en de bladwijzer wordt opgeslagen.

Tik op de plusknop en daarna op Voeg bladwijzer toe om een bladwijzer toe te voegen.

Een bladwijzer openen

Tik op het symbool van het boekje (📖) en tik op de bladwijzer die je wilt openen. Bladwijzers kunnen ook gesorteerd worden in een map. Dit is met name handig als je veel bladwijzers overzichtelijk wilt houden. Je kunt ook op een eventueel eerder gemaakte map tikken en de onderliggende bladwijzers bekijken en kiezen.

Een bladwijzer wijzigen

Als je bij nader inzien de bladwijzer toch een an-

dere naam wilt geven kan dat natuurlijk altijd later ook nog gebeuren. Tik op 📖 en kies de bladwijzer of bladwijzermap waarvan je de naam wilt veranderen. Tik op **Wijzig**. Je kunt nu meerdere aanpassingen doen.

- Om een nieuwe map aan te maken tik je op **Nieuwe Map**.
- Om een bladwijzer of map te verwijderen tik je op ➖ en vervolgens op **verwijder.**
- Als je een bladwijzer of map wilt verplaatsen tik je op ≡ en sleep je de bladwijzer naar de juiste plek.
- Om de naam van de bladwijzer of map te wijzigen tik je op bladwijzer of map.

Als je klaar bent, tik je op **Gereed.**

Geef bladwijzers een naam en plaats ze in een bepaalde map.

Bladwijzers synchroniseren met je computer

Als je Safari op een Mac, of Safari of Microsoft Internet Explorer op een pc gebruikt dan kun je alle bladwijzers synchroniseren. Sluit hiervoor de iPhone aan op de computer met de bijgeleverde kabel en start het programma iTunes op je computer.

1. Selecteer de iPhone in de navigatiekolom van iTunes.
2. Klik op **Info** en selecteer vervolgens **Synchroniseer bladwijzers** (M) of **Bladwijzers synchroniseren** (W) onder **Webbrowser** en klik op **Pas toe** (M) of **Toepassen** (W).

Webfragmenten

Voor internetpagina's die je veel bezoekt kun je een snelkoppeling maken in het beginscherm. Door op deze snelkoppeling, ook wel webfragment genoemd, te tikken vanuit het beginscherm wordt de pagina direct in Safari geopend. Webfragmenten worden weergegeven in de vorm van symbolen. De webfragmenten kun je net als alle andere programma's gewoon rangschikken (zie pagina 28).

Webfragmenten maken

Open een webpagina waarvan je een webfragment wilt maken en tik op ✚. Tik dan op **Zet in beginscherm**. Er wordt nu een symbool aan het beginscherm toegevoegd. Als je tikt op dit webfragment wordt de pagina geopend en wordt hij exact hetzelfde weergegeven als op het moment dat je het

webfragment opsloeg (zelfde zoomniveau). Als de naam van een webfragment te lang is, wordt deze mogelijk afgekort in het beginscherm. Helaas kunnen webfragmenten niet worden gesynchroniseerd met MobileMe of iTunes.

Voeg een webfragment toe aan het beginscherm.

Webfragmenten verwijderen

Webfragmenten verwijderen is eenvoudig. Houd je vinger langer ingedrukt op een symbool in het beginscherm tot de symbolen gaan bewegen. Tik op het kruisje van het webfragment dat je wilt verwijderen. Tik op **Verwijder** en druk op de thuisknop om de wijzigingen te bewaren.

Meerdere pagina's tegelijk openen

In Safari is het mogelijk om meerdere pagina's tegelijkertijd te openen. Het openen van een nieuwe
pagina en het schakelen tussen die pagina's is erg
gemakkelijk.

Openen van een nieuwe pagina

De meeste koppelingen op een webpagina zullen openen in een nieuwe pagina. Wil je zelf een
nieuwe pagina openen, tik dan eerst op ⧉ rechtsonderin beeld.

Open nieuwe webpa-
gina's in Safari.

Tik dan op de knop **Nieuwe pagina** en er verschijnt een nieuwe lege pagina. Hier kun je een
nieuw adres intikken in de adresbalk, het Google-
zoekveld gebruiken of een bladwijzer openen door
op de daarvoor bestemde onderdelen te tikken.

Als er meerdere pagina's geopend zijn, dan toont
het icoon ⧉ rechtsonder in beeld een nummer dat
het aantal geopende webpagina's weergeeft (bijvoorbeeld ⧉).

Schakelen tussen pagina's

Om te schakelen tussen de verschillende webpagina's die op dat moment geopend zijn, tik je eerst
op ⧉ en sleep je je vinger van links naar rechts of
van rechts naar links over het scherm om door de
geopende pagina's te bladeren. Als de juiste pagina
getoond wordt, tik je erop om deze te openen.

Blader door de geopen-
de webpagina's door
er overheen te slepen
(van links naar rechts
of andersom) met je
vinger.

Webpagina's sluiten

In de bladermodus (nadat je op ⧉ hebt getikt)
kun je door op de rode kruisjes (⊗) te tikken, deze
webpagina's sluiten.

Andere soorten koppelingen

Het kan ook zijn dat, nadat je op een koppeling getikt hebt, er een telefoongesprek gestart wordt (de koppeling bevat dan een telefoonnummer), het programma Kaarten geactiveerd wordt om een locatie weer te geven of dat er een nieuwe e-mail wordt aangemaakt (dan heb je waarschijnlijk op een e-mailadres getikt).

Om dan weer terug te keren naar het programma Safari, druk je op de thuisknop en tik je op het icoon van Safari. De laatst geopende webpagina verschijnt.

Tekst tikken op webpagina's

Vaak zul je op websites formulieren vinden die je in moet vullen. Het kan dan gaan om je gegevens, of wellicht een wachtwoord om toegang te krijgen tot een bepaalde website.

Om het toetsenbord te kunnen gebruiken tik je simpelweg een tekstveld op een webpagina aan. Het toetsenbord verschijnt automatisch. Om te schakelen tussen verschillende tekstvelden kun je deze aantikken op de webpagina of je tikt op de knoppen **Volgende** of **Vorige**. Als je een wachtwoord intikt, verschijnen er bolletjes om zo ongewenst meekijken tegen te gaan.

Tik op de knop **Gereed** als je klaar bent en om het toetsenbord te laten verdwijnen. Tik op de knop **Ga** om het formulier direct te versturen.

Gebruik het toetsenbord om bijvoorbeeld in te loggen op een website.

Automatisch formulieren invullen

Zodra je veel persoonlijke informatie moet invullen op een webpagina (zoals adressen en telefoonnummers) dan doe je er verstandig aan op de knop **Formulieren** te tikken boven het toetsenbord. Tik dan je eigen naam aan in de lijst met contactgegevens en de gegevens worden keurig netjes overgenomen in het formulier op de webpagina.

Flash op de iPhone

Veel websites worden tegenwoordig met *Flash* gemaakt. Dat is een visueel aantrekkelijke manier van websites weergeven. Helaas werkt Flash tot op heden niet op de iPhone.

Mail

De iPhone is ideaal om mee te mailen. Je kunt zelfs meerdere e-mailadressen beheren vanaf je iPhone. Omdat de iPhone naast Wi-Fi ook snel data kan versturen via het mobiele telefoonnetwerk kun je dus overal waar je kan bellen ook e-mail ophalen en versturen. In dit hoofdstuk gaan we je laten zien hoe je makkelijk gebruik kunt maken van alle mailfuncties op je iPhone.

Een e-mailaccount instellen

Als e-mail al goed is geïnstalleerd op de computer dan kunnen de gewenste e-mailaccounts automatisch worden overgezet op de iPhone. Alle instellingen worden dan overgezet zodat je geen gebruikersnaam of wachtwoord meer hoeft in te vullen op de iPhone.

Alleen als je gebruikmaakt van Googlemail of Yahoo!-mail dan word je nog wel gevraagd om je wachtwoord, omdat bij deze mailboxen het wachtwoord niet in de computer wordt opgeslagen.

Nieuwe e-mailaccounts kunnen ook op de iPhone zelf worden aangemaakt. Het is dan bijvoorbeeld mogelijk om een bepaald e-mailadres alleen te bekijken op je iPhone zonder dat het e-mailadres ook op een normale computer wordt gebruikt. Als er nog geen e-mailaccounts op de iPhone zijn ingesteld, verschijnt direct het volgende venster.

Als er al wel eerder een account is aangemaakt, kun je een extra account aanmaken door te gaan naar **Instellingen** vanuit het beginscherm, tik daar op **Mail, Contacten, Agenda > Voeg account toe.**

Tik op een type account om dit toe te voegen aan de iPhone.

Je kunt nu de volgende typen accounts toevoegen aan de iPhone door er een aan te tikken en de gegevens in te vullen:

Microsoft Exchange Dit maakt het mogelijk om te communiceren met Windows-servers. Alle e-mails blijven altijd op de server staan. Vraag je IT-beheerder naar meer informatie.

MobileMe Dit is een service van Apple voor het synchroniseren van gegevens tussen al je apparaten. Lees daarover meer op pagina 20.

Gmail Heb je al een Gmail- of Googlemail-adres? Dan hoef je niet veel meer te doen dan je naam, e-mailadres en je wachtwoord in te vullen. Je account wordt dan automatisch aangemaakt.

Yahoo!Mail Heb je al een Yahoo!-adres? Je hoeft alleen je naam, e-mailadres en wachtwoord in te vullen en de rest gebeurt automatisch.

AOL America Online wordt in tegenstelling tot Europa in Amerika veel gebruikt. Mocht je een AOL-account hebben, vul dan hier de gegevens in.

Anders Als je een ander e-mailadres hebt dan hierboven beschreven dan is dat natuurlijk ook geen probleem. Voor het goed functioneren van een e-mailaccount zijn er altijd vier gegevens nodig: het e-mailadres, het wachtwoord, de inkomende mailserver en de uitgaande mailserver. Deze gegevens krijg je van je provider.

E-mails ontvangen
Zoals iedereen tegenwoordig kan ook jij geen minuut zonder e-mail en moet je dus altijd op de hoogte worden gehouden van de laatste mailtjes. Dankzij de 'push'-technologie kan dat ook. Doordat een e-mail direct vanaf de server wordt 'gepushed' (geduwd) krijgt jij als gebruiker vrijwel direct de mededeling dat er een nieuwe e-mail is.

Het nadeel is echter dat dit veel energie kost. Je batterij raakt dus sneller leeg.

Nieuwe ongelezen e-mails worden aangegeven met een blauw bolletje ervoor. Tik e-mails aan om ze te lezen. Een paperclipje geeft aan dat er een bijlage bij de e-mail zit.

Bij **Instellingen** > **Mail, Contacten, Agenda** > **Nieuwe gegevens** kun je aangeven of je gebruik wilt maken van 'Push'. Je kunt dan bijvoorbeeld instellen dat er ieder kwartier wordt gecontroleerd of er nieuwe mail is.

Je kunt handmatig je e-mail checken door het mailprogramma te openen en op ↻ te tikken. Er wordt dan direct een verbinding gemaakt met de server om te kijken of je nieuwe e-mail hebt. Het aantal ongelezen e-mails wordt aangegeven, ook bij het icoon van Mail in het beginscherm.

Een nieuwe e-mail versturen
Als je e-mail eenmaal goed is ingesteld ben je klaar om e-mail te ontvangen maar natuurlijk ook om te versturen. Het sturen van een e-mail is simpel.

Tik een nieuwe e-mail in, door de velden in te vullen.

1. Tik rechtsonderin op ✐.
2. Vul met het toetsenbord een e-mailadres in of kies er een uit het adresboek door op het plusje te tikken (⊕). Je kunt uit alle contacten ook meerdere e-mailadressen selecteren.
3. Je kunt eventueel een kopie of blinde kopie sturen door te tikken op **Kopie** of **Blinde kopie.**
4. Tik op **Onderwerp** en je kunt je e-mail een onderwerp meegeven.
5. In het lege veld boven je toetsenbord kun je beginnen met schrijven door een keer te tikken in het lege venster. Als je klaar bent, tik dan op **Stuur** en de e-mail wordt verzonden.

Je hoeft een e-mail niet meteen te verzenden. Je kunt er bijvoorbeeld even over nadenken voordat je het verstuurt. Tik dan op **Annuleer** voordat je

het verstuurt. Je krijgt dan de mogelijkheid om het te bewaren. Het bericht wordt in de postbus Concept bewaard.

E-mail beantwoorden of doorsturen

Als je een e-mail direct wilt beantwoorden tik je op ↰. Tik dan op **Antwoord** en je kunt beginnen met schrijven naar de persoon waarvan je de e-mail hebt ontvangen. Kies **Antwoord allen** als je alle ontvangers van de e-mail wilt terugschrijven. Na het schrijven van het bericht tik je op **Verstuur** waarna de e-mail wordt verstuurd. Bijlagen zoals bestanden of foto's die aan het oorspronkelijke bericht waren gekoppeld worden niet opnieuw verstuurd. Tik op ↰ en vervolgens op **Stuur door** als je de e-mail wilt doorsturen. Als een bericht wordt doorgestuurd worden ook alle oorspronkelijke bijlagen doorgestuurd.

Een e-mail verwijderen

Tik op het symbool van de prullenmand (🗑) om een bericht te verwijderen. Dit wordt eerst nog bewaard in de postbus Prullenmand. Om de prullenmand te legen, tik je op **Wijzig** en daarna op de rode knop **Verwijder alles**. Deze handeling kun je niet ongedaan maken.

Je kunt op de iPhone makkelijk een e-mail beantwoorden of doorsturen.

Bijlagen ontvangen

Het kan zijn dat iemand je een e-mail stuurt met daarin een bijlage. Dat kan van alles zijn: bijvoorbeeld een foto, een Word-document of contactgegevens. Hieronder een lijst met soorten bijlagen (behalve foto's) die de iPhone ondersteunt:

- Microsoft Word (.doc of .docx)
- webpagina (.html of .htm)
- Keynote (.key)
- Numbers (.numbers)
- Pages (.pages)
- Portable Document Format (.pdf)
- Microsoft PowerPoint (.ppt of .pptx)
- Rich Text Format (.rtf)
- Platte tekst (.txt)
- Contactgegevens (.vcf)
- Microsoft Excel (.xls of .xlsx)

Als een e-mailbericht een bijlage bevat zie je dat aan het icoon van een paperclip achter het onderwerp van de e-mail. Zodra je zo'n bericht opent, verschijnt er een knop in het bericht waarmee je de bijlage kunt openen om deze te bekijken. Het kan zijn dat de bijlage eerst gedownload moet worden voordat je deze kunt openen. Dit wordt gedaan omdat grote bijlagen anders te veel data zouden verbruiken.

Is er een bijlage toegevoegd die niet te openen is met de iPhone, dan verschijnt er een icoon van een omgeslagen blad en kun je er niet op tikken.

De knop onderin het e-mailbericht geeft aan dat er een bijlage bij zit die je kunt openen.

De bijlage wordt geopend en je kunt erop inzoomen. Het bewerken van bijlagen is helaas niet mogelijk.

De bijlage wordt geopend en je kunt erop inzoomen door je vingers te gebruiken.

Foto's ontvangen

Is de bijlage een foto (of meerdere foto's), dan kun je deze opslaan in de iPhone om ze later bijvoorbeeld toe te voegen aan een contactpersoon of in te stellen als achtergrond.

Soms moet de bijlage eerst geladen worden voordat je deze ziet.

Zodra er een foto in het e-mailbericht staat, kun je deze opslaan door op de knop ← te tikken. Je krijgt dan als optie **Bewaar foto**. Tik daarop om de foto toe te voegen aan de Filmrol op de iPhone. Je kunt ook je vinger lang op de foto houden, dat

is handig als je een enkele foto wilt opslaan uit een bericht met meerdere foto's. Ook krijg je de optie **Kopieer** om de foto elders te kunnen plakken.

Bewaar een foto uit een e-mail in de Filmrol op de iPhone.

Een foto versturen

Foto's die in de Filmrol van de iPhone staan kun je per e-mail versturen aan een ander. Open eerst vanuit het beginscherm het programma **Foto's**. Kies de foto die je wilt versturen en tik op 📤. Tik vervolgens op **E-mail foto**. De iPhone moet wel zijn ingesteld op het gebruik van e-mail.

In de miniatuurweergave in een fotoalbum kun je zelfs meerdere foto's tegelijkertijd aantikken nadat je op 📤 hebt getikt om ze tegelijk te versturen! Hiervoor geldt een maximum van vijf foto's per e-mailbericht.

iPod

Muziek luisteren en films bekijken op de iPhone

Naast de telefoonfunctionaliteit heeft de iPhone ook een ingebouwde iPod. Als je de iPhone voor het eerst in gebruik neemt, staan er nog geen liedjes, video's of podcasts in die je kunt afspelen. Die moet je er zelf opzetten met behulp van iTunes. Dit programma kun je gratis downloaden voor pc of Mac. Met iTunes kun je muziek, video's en podcasts beheren en overzetten op een iPod of in ons geval de iPhone. Je kunt al je mediabestanden synchroniseren of zelf een selectie maken en overzetten. Lees daarover meer op pagina 14.

Open de iPod-functie van de iPhone door op het symbool te tikken vanuit het beginscherm. Het is oranje en er staat een symbool van een iPod in. In het venster tik je onderaan op een categorie om daarin te bladeren. Bijvoorbeeld **Artiest** of **Video**.

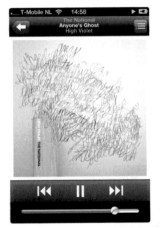

Kies een afspeellijst, artiest of nummer in de iPod om ernaar te luisteren. Bekijk video's als je deze ook op de iPhone hebt staan.

Bladeren en de bediening

De bediening van de iPod is eenvoudig. Als je een nummer wilt beluisteren kun je tikken op de illustratie of de tekst van het nummer. Het nummer begint dan direct met afspelen.

Zodra een nummer begint met spelen, verschijnt er een aantal regelaars.

Als je het nummer wilt onderbreken kun je op de pauzeknop tikken (**II**). Als de bijgeleverde headset is aangesloten, kun je ook drukken op de microfoonknop om het afspelen te onderbreken.

Het geluid harder of zachter zetten doe je door met je vinger te slepen over de schuifknop. Je kunt ook gebruik maken van de volumeknoppen aan de zijkant van de iPhone.

Tik op |◀◀ om terug te gaan naar het begin van een nummer. Door twee keer snel achter elkaar te tikken ga je naar het vorige nummer. Om terug te spoelen hou je je vinger tegen het scherm. Hoe langer je je vinger tegen het scherm houdt hoe sneller je terugspoelt. Hetzelfde geldt voor voor-uitspoelen of naar het volgende nummer gaan. Tik dan op ▶▶|. Als je naar het volgende nummer wilt kun je ook gebruikmaken van de headset. Druk dan twee keer snel achter elkaar op de microfoon-knop om naar het volgende nummer te gaan. Je kunt je iPhone dan dus gewoon in je zak houden.

Teruggaan naar de bladerlijsten
Tik op ◀ of beweeg je vinger snel naar rechts om terug te gaan naar de iPod-bladerlijsten. Kies hier een nieuw nummer, artiest of afspeellijst.

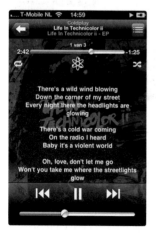

Tik op het scherm als een nummer speelt om de songtekst en meerdere regelaars te bekijken. Ga direct naar een bepaald punt in een nummer door de af-speelkop boven in beeld te verschuiven.

Snel naar de iPod

Je kunt altijd de iPod-afspeelregelaars in beeld brengen door snel twee keer achter elkaar op de thuisknop te drukken en de balk met programma's naar rechts te slepen. Deze afspeelregelaars komen zelfs in beeld als de iPhone is vergrendeld. Zie ook pagina 37.

Songteksten weergeven
In iTunes heb je de mogelijkheid om songteksten toe te voegen aan liedjes. Als je dat gedaan hebt worden deze ook mee gekopieerd naar de iPhone. Als je tijdens het afspelen van een nummer op de albumillustratie tikt, verschijnt de songtekst in beeld. Tevens zie je een aantal extra knoppen ver-schijnen voor het bedienen van de muziek.

Nog meer regelaars
Als je een nummer afspeelt, tik dan tijdens het afspelen op de albumillustratie. Er verschijnen dan meer regelaars in beeld. Als je de afspeellijst wilt laten herhalen tik dan op ⟳. Als je nogmaals op ⟳ tikt wordt alleen het huidige nummer herhaald. De herhaalknop wordt blauw als deze actief is.

Naar een punt in een nummer gaan
Sleep de afspeelkop (het bolletje) over de navi-gatiebalk. Op het moment dat je je vinger loslaat wordt daar de muziek hervat. Zodra je deze

afspeelkop verschuift, kun je met je vinger naar beneden over het scherm slepen om nauwkeuriger een punt in het nummer te selecteren.

Genius

Sinds enige tijd kunnen mensen met een iTunes-account de Genius-functie gebruiken. Tik op de knop Genius (⚛) en er wordt een afspeellijst gemaakt die nummers bevat die lijken op de soort muziek die je nu hoort. Genius maakt gebruik van een database van gebruikersinformatie van de iTunes Store. Voordat je Genius kunt gebruiken moet je een iTunes-account aanmaken, kijk daarvoor op pagina 18.

Nummers in willekeurige volgorde afspelen

Als je graag verrast wilt worden kun je de liedjes in een willekeurige volgorde laten afspelen. Tik op ✖ om de nummers door elkaar af te spelen. Als je nogmaals op ✖ tikt, worden de nummers weer in een vaste volgorde afgespeeld.

Nieuw is de manier om je iPhone even kort te schudden voor het volgende nummer, *shake to shuffle* heet deze functie. Zet deze functie aan of uit bij **Instellingen > iPod > Schud voor shuffle**.

Cover Flow

Als je door muziekbestanden bladert kun je de iPhone een kwartslag draaien. Alle albumillustraties worden dan weergegeven. Apple noemt dit

Gebeld worden

Als je tijdens het luisteren van muziek wordt gebeld, zal de muziek automatisch pauzeren.

Cover Flow. Je kunt door je albumhoezen bladeren door met je vinger te slepen. Als je alle nummers van een album wilt weergeven tik je op ❼. De hoes wordt dan omgedraaid en alle nummers worden weergegeven. Je kunt dan een keuze maken uit een nummer. Door er op te tikken begint het nummer met afspelen.

Kantel de iPhone een kwartslag om de Cover Flow-weergave te activeren. Blader door albums en zoek naar nummers.

Help, ik zie geen albumillustratie

Tijdens het importeren van muziek in iTunes zal er meteen worden gezocht naar de juiste albumillustratie. Als er geen albumillustratie verschijnt dan kan het zijn dat er op dat moment geen internetverbinding is. iTunes haalt namelijk alle illustraties vanaf een database via het internet. Het kan ook zijn dat de cd niet wordt herkend omdat de illustratie of artiest niet in de database voorkomt. Als de cd (illegaal) gekopieerd is zal de albumillustratie in de meeste gevallen ook niet zichtbaar zijn.

Gelukkig kun je ook achteraf nog albumillustraties toevoegen. Dit moet altijd gebeuren in iTunes. Ga hiervoor naar **Geavanceerd** > **Haal albumillustraties op.** iTunes gaat nu automatisch zoeken naar de afbeeldingen bij de nummers die in je bibliotheek voorkomen.

Alle nummers op een album bekijken

Als je alle nummers wilt zien van het album van het huidige nummer dat wordt afgespeeld tik je op ▤ rechtsboven in beeld. Hier kun je het nummer ook meteen beoordelen met een aantal sterren. Door met je vinger te slepen over de stippen, kun je maximaal vijf sterren toekennen aan een nummer. Als je de iPhone vervolgens weer synchroniseert met de computer worden de sterren ook in iTunes weergegeven. Je kunt dan bijvoorbeeld makkelijk een slimme afspeellijst maken

Afspeellijsten maken

Behalve in iTunes, kun je ook in de iPhone afspeellijsten maken.

1. Ga naar **Afspeellijsten** en tik op **Voeg afspeellijst toe**.

2. Tik een leuke naam in voor je afspeellijst en tik op bewaar.
3. Zoek naar nummers met de knoppen onder in het beeldscherm. Als je een nummer aan de lijst wilt toevoegen tik je op het plusje (⊕).
4. Tik op **Gereed** als je klaar bent.

Als je een afspeellijst hebt gemaakt en je synchroniseert de iPhone met de computer dan worden ook de afspeellijsten overgezet naar de computer. De afspeellijsten worden altijd bewaard onder de naam die je er in eerste instantie aan het gegeven.

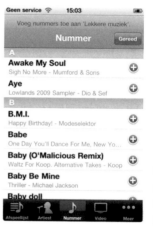

Voeg nummers toe aan de On-The-Go-afspeellijst door op de plusknop te tikken.

Een afspeellijsten wijzigen

Tik op de afspeellijst die je wilt wijzigen en tik vervolgens op **Wijzig**. Je kunt nu de volgende wijzigingen uitvoeren:

- Een nummer hoger of lager in de afspeellijst zetten. Dit doe je door het symbool ≡ naar de gewenste positie te slepen.
- Een nummer uit de afspeellijst verwijderen. Dit doe je door te tikken op ⊖ naast het nummer. Als je zeker weet dat je het nummer uit de afspeellijst wilt verwijderen tik je op **Verwijder.** Het nummer wordt dan alleen uit de afspeellijst verwijderd en niet uit de iPhone zelf.
- De gehele afspeellijst wissen. Hiervoor tik je op **Verwijder**.
- Toevoegen van nummers aan de lijst. Hiervoor tik je op ✚.

Video's afspelen

Op de iPhone kun je dankzij het grote beeldscherm heel goed video's afspelen. Helaas is de iPhone wel kieskeurig met het bestandsformaat. De iPhone leest alleen films van het MPEG4-formaat. Als je een video in iTunes hebt staan en deze wilt overzetten naar de iPhone kan het voorkomen dat je daarom een foutmelding krijgt.

Gelukkig kun je de video in iTunes converteren naar het juiste formaat. Selecteer de video die je wilt converteren en klik vervolgens op **Geavanceerd > Converteer voor iPod/iPhone.** Het bestandsformaat wordt dan automatisch omgezet zodat de video te zien is op de iPhone. Afhankelijk van de lengte van de video en de snelheid van je computer kan het converteren enige tijd in beslag

Videobestanden omzetten

Helaas is het niet mogelijk om WMV-bestanden te converteren naar het MPEG-4-formaat. Hiervoor moet je een apart programma downloaden op je computer. Er zijn meerdere programma's die dit kunnen. Google maar eens op 'video iphone'.

nemen. Voor het converteren van een film kun je rustig een kopje thee gaan drinken.

Als de video eenmaal is overgezet op de iPhone is het afspelen van een video kinderspel. Tik op **Video** en tik op de video die je wilt afspelen. Door tijdens het afspelen op het scherm te tikken, komen de regelaars in beeld. Houd er rekening mee dat het afspelen van video's op de iPhone veel stroom kost. Je batterij raakt dus sneller leeg.

© Apple

Als je een video afspeelt moet je de iPhone altijd een kwartslag draaien. Tik een keer op het scherm voor de videoregelaars.

Foto's en video

Foto's en films maken en bekijken met de iPhone

Apple wordt al jarenlang veel gebruikt in de grafische industrie. Daarom konden ze met de iPhone ook op grafisch gebied niet achterblijven. Apple heeft zijn visitekaartje weer afgegeven want op grafisch gebied is de iPhone onovertroffen. In dit hoofdstuk gaan we je laten zien wat er allemaal mogelijk is met foto's en video op de iPhone.

Foto's synchroniseren

Je kunt je favoriete foto's van je computer overzetten op je iPhone. Net zoals je muziek kunt synchroniseren kan dat ook met foto's. iTunes kan foto's met de volgende programma's synchroniseren:

Vanuit Foto's kun je al je foto's op de iPhone bekijken. Zowel de gesynchroniseerde als de gemaakte foto's (en video's).

- Mac: iPhoto 4.0.3 (of hoger) of Aperture.
- Windows: Adobe Photoshop Album 2.0 (of hoger) of Adobe Photoshop Elements 3.0 (of hoger).

Lees op pagina 14 voor meer informatie over het synchroniseren van foto's en video op je computer met behulp van iTunes.

Foto's bekijken

Foto's die je hebt overgezet vanaf de computer kun je bekijken in het programma **Foto's.** Vanaf hier kun je ook de foto's bekijken die zijn gemaakt met de ingebouwde camera.

1. Tik op **Foto's** om het programma te starten.
2. Tik op **Fotobibliotheek** om alle foto's te bekijken.
3. Tik op een fotoalbum of op **Filmrol** om de foto's (of video's) te bekijken die je hebt gemaakt met de iPhone.
4. De foto's komen nu in het klein in beeld. Tik op een miniatuur om de foto schermvullend te kunnen bekijken.

Zoals bij meerdere programma's op de iPhone kun je ook tijdens het bekijken van foto's de iPhone een kwartslag draaien. De foto's worden dan liggend weergegeven. Door met je vinger te slepen over de foto, sleep je de volgende foto in beeld. Zo kun je snel veel foto's op het volledige beeldscherm zien. En door het prachtige scherm ziet het er super uit!

Tik op een miniatuur om de foto beeldschermvullend te bekijken.

Inzoomen op een foto

Net zoals je bij Safari kunt inzoomen op webpagina's is dat ook mogelijk bij foto's. Door dubbel te tikken op het gedeelte dat je wilt inzoomen, wordt er ingezoomd op het gedeelte waar je tikt. Door nogmaals tweemaal te tikken zoomt de foto weer uit. Je kunt ook in- en uitzoomen door twee vingers uit elkaar of naar elkaar toe te bewegen.

Een diavoorstelling starten

Je kunt ook foto's laten zien in een diavoorstelling. Hiervoor tik je een keer op het scherm. Dan komen er regelaars in beeld. Door vervolgens op de afspeelknop (▶) te tikken begint de diavoorstelling. De diavoorstelling kun je stoppen door op het scherm te tikken. De overgangen en de tijd dat een foto wordt getoond, kun je uiteraard instellen.

Instellingen voor een diavoorstelling

Tik vanuit het beginscherm op **Instellingen** > **Foto's** en je kunt kiezen uit de volgende opties:

- Tik op **Vertoon elke dia** om de tijd aan te geven dat elke dia wordt weergegeven.
- Om het overgangseffect aan te passen, tik je op **Overgang**.
- **Herhaal** zal de voorstelling blijven herhalen.
- Om foto's in willekeurige volgorde af te spelen, tik je **Shuffle** aan of uit.

Muziek afspelen tijdens een diavoorstelling

Het is uiteraard mogelijk om muziek af te spelen tijdens een diavoorstelling. Hiervoor ga je vanuit het beginscherm eerst naar de iPod en kies je een nummer door erop te tikken. Vervolgens keer je terug naar het programma Foto's en tik je op ▶ om de diavoorstelling te starten.

Kies je eigen achtergrond

Apple is zo aardig geweest om al een aantal verschillende achtergrondfoto's in de iPhone op te slaan. Hele mooie foto's, maar het is natuurlijk veel origineler om een eigen foto als achtergrond te gebruiken. Dat gaat als volgt:

1. Kies de foto die je wilt gebruiken als achtergrond en tik op ⏏.
2. Tik op **Gebruik als achtergrond**.
3. Versleep de foto en/of zoom de foto met twee vingers naar wens.

4. Tik op **Stel in**.
5. Als je nu de iPhone vergrendelt en weer ontgrendelt verschijnt je eigen foto in beeld.

E-mail of mms de foto, stuur deze naar MobileMe, wijs hem toe aan een contact of gebruik deze als achtergrond.

Afbeeldingen opslaan op de iPhone vanuit Mail of Safari

Als je een foto krijgt meegestuurd als bijlage in een e-mail kun je deze in je iPhone opslaan. Hetzelfde geldt voor een foto die je tegenkomt op een webpagina. Deze kun je opslaan in je fotobibliotheek.

Het opslaan van een foto doe je door je vinger op een afbeelding te houden en dan te tikken op **Bewaar afbeelding**. De foto wordt dan toegevoegd aan het album Filmrol. De foto's die in de filmrol staan kun je met een fotoprogramma dat op je computer staat kopiëren naar je computer.

Een foto per e-mail of mms verzenden

Stel je voor: je hebt een mooie foto gemaakt en je wilt de foto eigenlijk meteen delen met je vrienden. Dat kan! Kies de foto of foto's die je wilt versturen en tik op ☑. Tik vervolgens op **E-mail foto** of **Mms**. De iPhone moet wel zijn ingesteld op het gebruik van e-mail of mms.

In de miniatuurweergave in een fotoalbum kun je zelfs meerdere foto's tegelijkertijd aantikken nadat je op ☑ hebt getikt om ze tegelijk te versturen! Hiervoor geldt wel een maximum van vijf foto's per e-mail en twee foto's per mms.

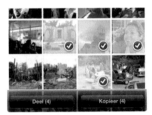

Selecteer meerdere foto's om deze tegelijkertijd te versturen.

Foto naar je MobileMe-galerie sturen

Als je een MobileMe-account hebt, dan kun je foto's vanuit je iPhone naar een zelfgemaakte galerie sturen. Je kunt foto's dan dus direct op het internet publiceren, waar je ook bent.

Voor het versturen van een foto naar je MobileMe-galerie kies je de gewenste foto, tik je op ☑ en vervolgens op **Stuur naar galerie**. Volg daarna de instructies in het scherm op.

Camera

De iPhone 3GS bevat een ingebouwde 3 megapixelcamera. De iPhone 4 doet daar nog een schepje bovenop met een 5 megapixelcamera.

Een foto maken

Om de camerafunctie van de iPhone te gebruiken, tik je eerst vanuit het beginscherm op Camera. Er verschijnt een diafragma in beeld. Zodra de camera klaar is voor gebruik, opent het diafragma zich. Als je in het kader tikt verschijnt er onderin een balk. Door je vinger hierover te bewegen kun je in- en uitzoomen.

De iPhone 4 is uitgerust met een ingebouwde flitser. Tik bovenin het scherm op de knop met het bliksemsymbool om deze in of uit te schakelen. De iPhone 4 heeft ook een camera aan de voorkant. Tik je op de knop linksbovenin, dan wordt deze geactiveerd en kun je foto's van jezelf maken.

Scherpstellen en de licht- en kleurenafstelling gebeuren volledig automatisch. Als je tikt op een bepaald gedeelte in het kader waar het onderwerp zich bevindt dan zal de iPhone de kleurinstellingen en de focus hierop aanpassen. Dit zorgt voor nog mooiere foto's. Kantel je de iPhone een kwartslag dan zal de foto ook in landschapsformaat opgeslagen worden. Een portretfoto maak je door de iPhone rechtop te houden.

Raak op de iPhone het scherm aan op de plek waarop je wilt scherpstellen. Dit werkt niet op de oudere iPhones...

Als je een foto hebt gemaakt, verschijnt deze in Foto's in het album Filmrol. Van daaruit kun je de foto's bekijken, versturen, toevoegen aan een contact of verwijderen. Tik vanuit Camera op het miniatuur linksonder in het venster om de laatst gemaakte foto te zien.

High Dynamic Range

Boven in het scherm vind je de knop HDR (*High Dynamic Range*). Als je deze functie inschakelt, zal de software in de iPhone ervoor zorgen dat je foto's er altijd goed uitzien. Ook al zijn de omstandigheden minder goed, zoals in de schemering of binnen met weinig licht.

Video opnemen

Naast het nemen van foto's kunnen de iPhone 3GS
en iPhone 4 ook video opnemen. De iPhone 3G
en 2G kunnen dit helaas niet. Met de iPhone 4 is
het zelfs mogelijk om video in *High Definition* op
te nemen. Ook is het mogelijk om een video in te
korten. Zo blijven alleen de belangrijkste video-
momenten bewaard en nemen de videobeelden zo
min mogelijk ruimte in beslag op je iPhone.

Rechts onder in beeld zie je een kleine schakelaar.
Door deze schakelaar naar rechts te schuiven
wordt de videocamera geactiveerd. Tik op het rode
opname-icoon om de video-opname te starten.
Door nogmaals op de rode opnameknop te tikken
wordt de opname gestopt. Het is zelfs mogelijk om
de opname te starten en stoppen door op de selectieknop van je iPhone-koptelefoon te drukken.

Op het scherm geeft een rechthoek aan waarop
de camera scherp stelt. Tik op een ander gebied
op het scherm om daarop scherp te stellen. Naast
het scherpstellen wordt ook de belichting hierop
aangepast. Standaard neemt de iPhone 4 op in
3:2 formaat. Maar voor video is het 16:9 formaat
gangbaar. Door dubbel te tikken wijzig je het vi-
deoformaat.

Je laatste video-opname kun je terugkijken door
op het miniatuur in de linkerbenedenhoek van
het scherm te tikken. iPhone 4 bezitters hebben
een voordeel bij slecht licht situaties. Zij kun-

nen gebruik maken van het ingebouwde lampje.
Standaard staat deze uit. Door op de knop met het
bliksemsymbool te tikken gaat het lampje aan. Tot
slot kun je ook jezelf opnemen.

Door te tikken op het camerasymbool met de twee
pijltjes er omheen activeer je de camera aan de
voorzijde. Je kunt nu jezelf filmen.

Video's inkorten

Omdat video veel geheugen in beslag neemt, kun
je een opgenomen video inkorten. Alleen de belangrijke momenten blijven zodoende bewaard
en de harde schijf van de iPhone raakt niet te snel
vol. Door tijdens het bekijken van een video op het
scherm te tikken verschijnt bovenaan het scherm
een regelaar. Hiermee kun je het begin en het
einde van de video bepalen. Tik op de knop **Kort
in** om de buitenste delen te verwijderen. Let erop
dat dit niet ongedaan gemaakt kan worden.

© Apple

*Kort een video in door tijdens het afspelen op het scherm te tik-
ken en de buitenste einden naar links of rechts te slepen.*

Video naar YouTube sturen

Wat is er nou leuker dan je eigengemaakte video's direct op internet zetten zodat anderen deze ook kunnen bekijken? Dat kan met YouTube. Daarvoor heb je wel een account van de website nodig, dus bezoek eerst *www.youtube.com* en maak een account aan. Zo'n account is gelukkig gratis. Je kunt er zoveel video's mee uploaden als je wilt.

Tijdens het afspelen van de video die je wilt versturen tik je een keer op het scherm en tik je op ⏏ in de balk onder in beeld. Kies dan voor **Stuur naar YouTube**. Vul je accountgegevens in en volg de verdere instructies op het scherm. Een paar minuten later kunnen anderen jouw video vinden op de website van YouTube, of via het YouTube-programma op de iPhone natuurlijk. Kijk op pagina 109 voor meer info over YouTube op de iPhone.

'Geotagging'

Omdat de iPhone een GPS-module bevat kan het zijn eigen plaats op de aarde bepalen aan de hand van satellietinformatie. Zodra je een foto gaat maken met Camera en de GPS-functie van de iPhone staat ingeschakeld, kun je deze gegevens koppelen aan de foto's die worden gemaakt. Later kun je deze gegevens bijvoorbeeld gebruiken om de exacte locatie waar de foto is gemaakt terug te zoeken in bijvoorbeeld Google Earth (*earth.google.com*).

De iPhone slaat de GPS-breedte en -lengte in de foto's op (bijvoorbeeld 52°22'24,60"N 4°53'

11,40"W). Schakel GPS op de iPhone aan bij **Instellingen** > **Algemeen** > **Locatievoorzieningen**.

Op de iPhone worden ook de geografische coördinaten opgeslagen als je een foto maakt. Dat is mogelijk dankzij het ingebouwde digitale kompas. Hierdoor kun je ook de kijkrichting achterhalen.

Foto's gemaakt op bepaalde plaatsen

Om te bladeren op plaatsen moet de locatievoorziening uiteraard geactiveerd zijn op de iPhone. Tik in de balk onder in het scherm op **Plaatsen** en er verschijnt een wereldkaart met rode punaises op de plekken waar je foto's hebt gemaakt. Tik zo'n punaise aan om de foto's die op die bepaalde plek zijn gemaakt te bekijken. Zoom in op de kaart door met twee vingers naar elkaar toe te slepen.

Blader door foto's op basis van GPS-gegevens.

Foto's en video overzetten naar de computer

Foto's (en eventueel video's) die je gemaakt hebt met de iPhone kun je overzetten naar je computer. Daarvoor heb je wel compatibele programma's nodig. Dat kunnen bijvoorbeeld zijn:

- Mac: iPhoto 4.0.3 (of hoger), Aperture of Fotolader.
- PC: Adobe Photoshop Album 2.0 (of hoger) of Adobe Photoshop Elements 3.0 (of hoger).

Op de Mac

Nadat je de iPhone hebt aangesloten, open je het programma iPhoto. Klik daar op het symbool van de iPhone in de navigatiekolom en klik rechtsonderin op de knop **Importeer alles**. Wil je een selectie van de foto's importeren, dan klik je deze

eerst stuk voor stuk aan met de Command-toets ingedrukt en klik je op **Importeer selectie**.

Een ander veel gebruikt programma op de Mac is Fotolader. Dit staat in de map Programma's en kun je ook gebruiken om de foto's uit de iPhone te importeren.

Op een Windows-pc

Sluit om te beginnen de iPhone aan op de computer. Open dan het programma Photoshop Elements of Adobe Photoshop Album. Gebruik dan Adobe fotodownloader om foto's vanaf de iPhone naar de harde schijf van de computer te kopiëren. Selecteer de foto's die je wilt kopiëren en klik op **Foto's ophalen**. Er zijn voor Windows ook een heleboel andere fotoprogramma's beschikbaar die je kunt gebruiken.

Het programma Fotolader voor de Mac doet precies wat het moet doen: foto's uit de iPhone naar de computer overzetten.

Meer programma's

Wat kun je nog meer met de iPhone?

In dit boek worden een heleboel functies uitgebreid uitgelegd. Maar de iPhone wordt standaard uitgerust met nog een heleboel andere programma's die handig kunnen zijn in het dagelijks leven. Zoals Weer, Kaarten en Notities. In dit hoofdstuk worden deze programma's behandeld. Voor veel van deze programma's heb je overigens wel een internetverbinding nodig. Maar met de huidige technieken die verwerkt zijn in de iPhone moet dat geen enkel probleem zijn.

Kaarten

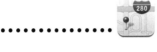

Gebruik Kaarten om een bepaalde locatie op te zoeken en eventueel een routebeschrijving ernaartoe op te vragen.

Al sinds de eerste versie vind je het programma Kaarten op de iPhone. Dit is een speciaal voor de iPhone ontwikkelde versie van Google Maps. Het stelt je in staat om makkelijk adressen op te zoeken en er eventueel een routebeschrijving naartoe te vinden. Omdat de iPhone is uitgerust met GPS kun je zelfs zien waar je je bevindt op de kaart.

Kaarten bekijken

Open vanuit het beginscherm van de iPhone de applicatie Kaarten door op de bijbehorende knop te tikken. Boven in het venster vind je een zoekveld, in het midden de kaart zelf en onderin een aantal belangrijke knoppen.

Om de kaart te bekijken kun je met je vinger over het scherm slepen. Je kunt ook met twee vingers

naar elkaar toe slepen om uit te zoomen en met twee vingers uit elkaar om in te zoomen op de kaart. Naar gelang de snelheid van de internetverbinding die je op dat moment hebt op de iPhone wordt de kaart automatisch ingeladen.

De kaart kan op drie verschillende manieren weergegeven worden: kaart, satelliet en hybride. Tik op de knop met het omgeslagen blad (◨) en kies de gewenste weergaveoptie:

Kaart Deze weergave lijkt het meest op de traditionele plattegrond. Hoofdwegen en andere wegen, straatnamen en plaatsen worden getoond.

Satelliet Kies deze optie als je satellietfoto's wilt bekijken. Ideaal om de omgeving te verkennen.

Hybride Deze optie is een combinatie van Kaart en Satelliet, dus een weergave van satellietfoto's met straatnamen en wegen aangegeven.

Kies de weergave van de kaart. Kies uit kaart, satelliet of hybride.

Zoeken van locaties

Om een locatie of adres op te zoeken, tik je in het zoekveld boven in het venster en tik je een adres, een streek, een oriëntatiepunt, een bladwijzer, de naam van een contactpersoon, een postcode of de naam van een bedrijf in. Tik daarna op **Zoek**.

De gevonden locatie wordt gemarkeerd met een rode speld. Boven de speld wordt in een grijze balk de naam van de locatie weergegeven. Tik op het blauwe bolletje (⊙) in deze balk om meer gegevens van de locatie te bekijken en eventueel toe te voegen aan de lijst met contactgegevens.

Bladwijzers

Je kunt gevonden locaties opslaan als zogeheten bladwijzers. Zo kun je later makkelijk bepaalde locaties weer terugvinden.

Om een bladwijzer op te slaan zoek je eerst een locatie en in de grijze balk die boven de rode speld verschijnt, tik je op het blauwe bolletje. Tik dan op **Zet in bladwijzers**. Je mag nu een naam invoeren voor de bladwijzer, voor zover die niet al ingevuld is. Tik op **Bewaar**.

Je kunt zelf een speld 'laten vallen' op de kaart. Blader eerst naar de gewenste plaats op de kaart

Een rode speld geeft de gevonden locatie aan.

Snel een bedrijf bellen of e-mailen

Je kunt ook naar bepaalde bedrijven of instellingen in de buurt zoeken. Tik bijvoorbeeld in het zoekveld 'sushi restaurant groningen' of 'bioscoop antwerpen' in. Op de kaart worden met meerdere spelden verschillende gevonden locaties weergegeven. Tik een spel aan om de naam van het bedrijf te bekijken.

door je vingers te gebruiken (sleep naar links, rechts, beneden of boven). Tik daarna op de knop met het omgeslagen blad (▧) en tik op **Laat speld vallen**. Midden in de kaart valt nu een paarse speld. Je kunt deze speld eventueel nog verplaatsen door de speld te verslepen naar een andere plek op de kaart. Staat de speld op de goede locatie dan tik je op het blauwe bolletje in de grijze balk en vervolgens op **Zet in bladwijzers**. Geef een gewenste naam op en tik op **Bewaar**.

Om bladwijzers terug te zoeken, tik je op het blauwe boekje (▧) in de zoekbalk. Tik onder in het venster op **Bladwijzers** en tik de gewenste bladwijzer aan. Deze wordt nu getoond op de kaart.

Je huidige locatie vinden

In de iPhone 3G is GPS geïntegreerd. GPS staat voor *Global Positioning System* en houdt in dat de iPhone door contact te maken met satellieten die om de aarde zweven, tot ongeveer vijf meter nauw-

keurig zijn eigen positie kan bepalen. GPS neemt een steeds belangrijker rol in in onze samenleving. Denk aan de verschillende navigatie-apparaten voor in de auto of op de boot.

Tik op de knop **Mijn locatie** (▧). Deze bevindt zich linksonderin. Het kan even duren voordat de iPhone contact heeft gemaakt met de GPS-satellieten, maar uiteindelijk zal een blauwe pulserende bol aangeven waar je je bevindt op de kaart.

Google Streetview

Helaas geldt het niet voor alle plekken op de wereld, maar op heel veel plekken zijn foto's gemaakt van de omgeving en gekoppeld aan de kaartinformatie. Dat betekent dat je ergens kunt rondkijken zonder zelf op die locatie te hoeven zijn. In de balk boven een speld vind je soms een oranje rond icoon (▧), tik erop om Google Streetview te activeren. Beweeg je vinger over het scherm om 'rond te kijken' en tik een keer om terug te keren.

Google Streetview is handig als je een buurt wilt verkennen.

© Apple

Om sneller te werken gebruikt de iPhone niet alleen GPS, maar ook informatie van UMTS-zendmasten en Wi-Fi-netwerken in de buurt om de huidige locatie te bepalen. Daarbij komt dat GPS binnenshuis niet altijd even goed werkt. Een blauwe cirkel geeft de huidige locatie aan als de iPhone nog niet in staat is om met de GPS-satellieten te communiceren. Helaas is deze benadering minder nauwkeurig dan GPS zelf.

Locatievoorzieningen

De GPS-module in de iPhone is een uitermate handig hulpmiddel. Niet alleen voor het bepalen van de huidige locatie op de kaart, maar ook bijvoorbeeld voor andere applicaties zoals Camera (zie pagina 90) of een heleboel programma's die te downloaden zijn via de App Store (zie pagina 118). Helaas is GPS een batterijverslindende functie in de iPhone. Het is dus handig om deze uit te schakelen als je hem niet gebruikt. Ga vanuit het beginscherm naar **Instellingen > Algemeen** en zet daar de schakelaar achter **Locatievoorzieningen** uit. Heeft een bepaalde locatie toch de GPS-gegevens nodig om te kunnen werken, dan zal de iPhone daar automatisch om vragen en wordt deze alsnog ingeschakeld. Het uitschakelen gebeurt niet vanzelf, dus dat zul je weer handmatig moeten doen.

Routebeschrijvingen opvragen

Met het programma Kaarten is het zelfs mogelijk om een routebeschrijving van A naar B op te vragen. Dat kan van je huidige locatie naar een bepaald adres zijn, of tussen twee bestemmingen.

1. Tik op **Route** onder in het venster.
2. Voer de start- en eindlocatie in de desbetreffende velden in. Standaard is de huidige locatie ingevuld als beginpunt, maar dit kun je uiteraard ook wijzigen in een andere locatie.
3. Tik eventueel op het blauwe boekje in het invoerveld (📖) om direct een bladwijzer, je hui-

Na het intikken van een begin- en eindpunt wordt de route getoond.

dige locatie, een geplaatste speld, een recente locatie of een adres van een contact in te voegen. Dat kan bij zowel het begin- als eindpunt.

4. Tik eventueel op de knop met de gebogen pijl om de richting van de routebeschrijving om te draaien.

5. Tik op **Route** en op de kaart wordt met een paarse lijn de snelste route aangegeven tussen de groene speld (het beginpunt) en de rode speld (het eindpunt).

6. Om een stapsgewijze routebeschrijving te bekijken tik je op **Start** en gebruik je de pijltoetsen om een stap verder of een stap terug te bladeren. Elke afslag is in principe een stap in de routebeschrijving. Als je GPS gebruikt zal het beeld van de kaart meelopen zodra je van locatie verandert (tijdens het rijden of lopen).

7. Wil je de routebeschijving als lijst bekijken, tik op de knop met het omgeslagen blad (▲) en tik dan op **Lijst**. Nu zie je een overzichtelijke lijst

verschijnen van alle afslagen en wegnummers. Tik je op een onderdeel in de lijst, dan wordt deze getoond op de kaart.

Je kunt ook snel een routebeschrijving opvragen door boven een speld in de grijze balk te tikken op het blauwe bolletje (◉) en te tikken op **Route hier naartoe** of **Route hier vandaan**. Tik op **Wijzig** om snel de routebeschrijving aan te passen. En als je op het blauwe boekje (▣) tikt in de invoer- of zoekbalk dan kun je na tikken op de knop **Recent** een van de laatste routebeschrijvingen of zoekacties kiezen.

Kompas in de iPhone

De iPhone heeft een ingebouwd digitaal kompas, zie pagina 104. Door deze handige toevoeging is het voor het programma Kaarten mogelijk om niet alleen je huidige locatie te tonen op de kaart, maar ook de richting waarin je je iPhone houdt. Om het kompas te gebruiken tik je een tweede keer op de knop **Mijn locatie** (◤). Deze verandert in (▼) en de kaart zal draaien naar de richting waarnaar je kijkt, loopt of rijdt.

TomTom op de iPhone?

TomTom, bekend van autonavigatie, maakt ook software voor de iPhone. Kijk voor meer info op de website *iphone.tomtom.com*.

Weer

De iPhone is standaard uitgerust met een progamma om de weersvoorspelling voor de komende week van bepaalde steden en regio's te laten zien.

Deze informatie wordt via internet binnengehaald van de Yahoo!-website.

Voorspellingen bekijken

Tik in het beginscherm op **Weer** om het programma te openen. Boven in het venster vind je het weertype en de temperatuur zoals het nu is op de ingestelde locatie. De lijst eronder geeft een geschatte voorspelling van de komende week. Om de weersvoorspellingen van de verschillende locaties te bekijken, beweeg je je vinger snel naar rechts of links over het scherm. Een wit puntje onder in het venster geeft aan hoeveel locaties je verder of terug kunt bladeren.

Tik op het Yahoo!-logo (**☺!**) linksonderin om meer informatie over de weersvoorspellingen van de locatie te bekijken.

Locaties toevoegen

Je kunt in het programma Weer zoveel steden en regio's toevoegen als je wilt.

1. Tik op de knop **Info** (**❸**) helemaal rechtsonderin.
2. Tik daarna op de knop met het plusteken (**➕**) om een locatie toe te voegen.
3. Tik de naam van een stad, provincie of postcode in en tik op **Zoek**. In de lijst met gevonden locaties tik je de gewenste locatie aan om deze toe te voegen.
4. Tik op de ribbels (**≡**) rechts in de lijst en sleep deze eventueel naar boven of beneden om de volgorde ervan te veranderen.
5. Verwijder een locatie door op het rode bolletje voor de naam van een locatie te tikken en vervolgens op **Verwijder**.
6. Tik op **Gereed** als je klaar bent. Het venster klapt weer om en je kunt de voorspellingen bekijken.

Aandelen

Ben je geïnteresseerd in de gang van zaken in de economie of heb je her en der wat aandelen? Dan is het programma Aandelen wel wat voor jou. Hier kun je het verloop van aandelenkoersen bekijken. De informatie wordt via internet binnengehaald vanaf de website van Yahoo!.

Koersen bekijken en toevoegen

Tik op **Aandelen** in het beginscherm om het programma te starten. Je ziet een overzicht van een paar vooraf ingestelde koersen.

Tik op de naam van een koers om het verloop in de grafiek onder in het venster zichtbaar te maken. In de grafiek kun je eventueel nog tikken op de tijdsintervallen om de lengte van het verloop langer of korter te maken. De 'd' staat voor dag, de 'm' voor maand en de 'j' voor jaar.

Bekijk het verloop van aandelenkoersen met Aandelen. Tik en sleep de grafiek naar links of rechts voor nieuws of meer info over het aandeel, index of fonds.

Een groen vak met daarin een getal geeft aan dat de lijn van de koers stijgend is. Een rood vak betekent juist een dalende koers. Tik je op een van de rode of groene vakken dan wisselt de weergave tussen punten, percentages of totalen.

Om een aandeel, index of fonds aan de lijst toe te voegen, tik je op de knop **Info** (❷) rechtsonderin. Tik dan op de knop met het plusteken (✚) en tik een naam in. Uit de lijst die verschijnt kies je de juiste en tik je deze aan om toe te voegen.

Tik en sleep de namen naar boven of beneden met de ribbels (≣) om de volgorde ervan te wijzigen. Tik op **Gereed** als je klaar bent.

Geavanceerde grafieken

Als je de iPhone een kwartslag draait, zie je een vergrootte versie van de grafiek verschijnen. Sleep met een vinger over de grafiek om precieze informatie over de koers te bekijken. Een gele lijn laat de datum zien. Sleep je echter met twee vingers over de grafiek, dan wordt informatie getoond over het koersverloop tussen de twee data in. Sleep de grafiek naar links of rechts om te wisselen tussen de aandelen, indexen of koersen uit de lijst.

Draai de iPhone een kwartslag om een meer geavanceerde grafiek te bekijken. Sleep met een of twee vingers voor meer info.

Dictafoon

Heb je een idee, muziekfragment of een tekst die je wilt vastleggen zodat je het niet meer vergeet? Met de dictafoon is dat zo gebeurd. Vanuit het beginscherm tik je op het programma Dictafoon dat te herkennen is aan het symbool van een microfoon. Als het programma is opgestart zie je dezelfde microfoon (alleen dan groter) in beeld verschijnen.

Een ouderwetse microfoon op een supermoderne iPhone. Niet alleen grappig, ook erg handig.

Een opname maken

Door op de rode ronde knop linksonder in het scherm te tikken wordt de opname gestart. Geluid wordt opgenomen door middel van de microfoon die onder op de iPhone zit of de microfoon van de iPhone-koptelefoon.

Als de opname loopt tik je op **Pauze** om de opname te onderbreken en op **Stop** om de opname te beëindigen.

Een externe microfoon gebruiken

Het is ook mogelijk een externe microfoon te gebruiken. Een microfoon is aan te sluiten door middel van de koptelefoonaansluiting of dockconnector. Als het logo 'Works with iPhone' op de verpakking is te zien wordt deze officieel ondersteund door de iPhone

Opnames beluisteren

Tik op ≡ om een overzicht te krijgen van alle opnames. De laatste opname wordt automatisch als eerste afgespeeld. Tik op **Pauze** om het afspelen te onderbreken. Je kunt naar een ander punt in de opname gaan door de afspeelknop over de navigatiebalk te slepen.

Tik je op de knop **Luidspreker**, dan wordt de opname weergegeven op de ingebouwde luidspreker. Sluit je koptelefoon aan om het zo te beluisteren.

Opnames beheren

Opnames kun je eenvoudig verwijderen. Tik op een opname en vervolgens op **Verwijder**. Het verwijderen van opnames kan niet ongedaan worden gemaakt.

Als je meer informatie wilt tik dan op ● naast de opname. Je krijgt dan informatie over de lengte, tijd en datum van de opname. Hier kun je het label wijzigen, standaard is dat namelijk de tijd van de opname. Tik op de knop **Deel** om de opname te versturen per mms of per e-mail.

Opnames inkorten

Tik op ❍ naast de opname die je wilt inkorten. Vervolgens tik je op **Kort memo in**. Je kunt dan zowel het begin als het einde verslepen. De tijd wordt als indicatie weergegeven. Om een voorvertoning te krijgen tik je op de afspeelknop. Door te tikken op **Kort memo in** wordt de memo ingekort.

Opnames synchroniseren

Opnames worden automatisch gesynchroniseerd als de iPhone aan iTunes wordt gekoppeld. In de iTunes-bibliotheek vind je ze terug met als titel de

datum en tijdstip waarop je de opname maakte. Bijvoorbeeld '14-06-09 09:05'.

Kort een memo in door beide zijden van de gele balk te verslepen met je vinger. Ben je tevreden, tik dan op Kort memo in. Dit kan niet ongedaan worden gemaakt.

Game Center

Dat de iPhone een perfecte spelcomputer zou zijn had waarschijnlijk ook Apple nooit gedacht. Omdat het spelen van spellen steeds populairder wordt, is er een nieuwe applicatie met de naam Game Center ontwikkeld. Nadat je bent aangemeld met je Apple ID kun je je vrienden uitnodigen. Dankzij Game Center kun je tegen elkaar spelen en elkaars scores bijhouden. Nog niet alle spellen worden ondersteund maar dit worden er steeds meer. Spellen die worden ondersteund verschijnen automatisch in de lijst Games zodra je Game Center opent, je vindt ze in de App Store (zie pagina 118).

Kompas

Een handige functie in de iPhone (3GS en 4) is het kompas. Naast plaatsbepaling (via GPS worden dan de precieze coördinaten bepaald) is dus ook de richting waar je op dat moment naar kijkt te achterhalen. Gelukkig heeft Apple voor een stukje nostalgie gekozen. Als je vanuit het beginscherm het programma Kompas opent dan komt er een ouderwets kompas in beeld. Hierop kun je net zoals bij een ouderwets kompas zien waar het noorden is. Het kompas is een simpel programma. Apple hoopt dat andere nieuwe programma's gebruik gaan maken van de kompasfunctie. Met name voor navigatiesoftware is dat handig.

Het iPhone-kompas kalibreren
Bij het openen van het programma Kompas wordt er gevraagd een 8-beweging te maken met de iPhone in je hand. Hierdoor wordt het kompas gekalibreerd. Het kan zijn dat je een melding krijgt om weg te gaan bij storingsbronnen. Als er in de buurt een magnetisch veld is werkt het kompas niet goed. Houd je koptelefoon of andere speakers dus uit de buurt van de iPhone.

Kompas en kaarten
Door op het symbool ◪ links onderin het beeld-scherm te tikken wordt je huidige locatie in kaar-ten weergegeven. Dankzij het kompas zie je ook meteen welke kant je opgaat.

Klok

Op de iPhone kan natuurlijk een klok niet ont-breken! Zoek op hoe laat het is in verschillende steden, zet een wekker en een timer of gebruik de stopwatch. Om het programma klok op te starten tik je op **Klok** in het beginscherm. Onder in het venster vind je respectievelijk Wereldklok, Wekker, Stopwatch en Timer.

Wereldklokken
Hier worden de tijden van verschillende steden weergegeven. Als de wijzerplaat wit is, is het dag in die stad. Een zwarte wijzerplaat geeft aan dat het er avond of nacht is. Heb je meer dan vier steden toegevoegd aan de lijst met wereldklokken, dan

Houd de tijd bij van verschillende steden over de hele wereld.

kun je door de lijst scrollen door je vinger op en neer te bewegen over het scherm.

Om een stad toe te voegen, tik je op de knop met het plusteken rechtsbovenin. Tik de naam van een stad in en tik op de gewenste stad. Kan je een stad niet vinden, gebruik dan een grotere stad in dezelfde tijdzone.

Om de volgorde van de wereldklokken in de lijst te wijzigen, tik je eerst op **Wijzig** en versleep je de klokken door op de ribbels (≡) rechts ervan te tikken en te slepen.

Een stad verwijderen uit de lijst doe je door eerst op een rood bolletje voor de naam van de stad te tikken. Daarna tik je op **Verwijder**. Tik op **Gereed**.

Wekker

Op de iPhone zit natuurlijk ook een wekkerfunctie om je 's ochtends niet te verslapen of een belangrijke afspraak niet te vergeten! Je kunt meerdere wekkers instellen, elk op een ander tijdstip en met een ander wekgeluid.

1. Tik op de knop met het plusteken (✚) rechtsboven in het venster om een wekkertijd toe te voegen.
2. Bij **Herhaal** kun je door de dagen van de week aan te tikken aangeven of de wekker op vaste dagen in de week af moet gaan.
3. Kies bij **Geluid** het wekgeluid van de wekker.

4. Zet **Snooze** aan of uit; zodra je de snoozefunctie aanzet kun je tijdens het afgaan van de wekker kiezen of deze tien minuten later weer moet klinken.

5. Voer eventueel een tekst in bij **Label**, dit kun je gebruiken als je een herinnering aan jezelf als wekker instelt.
6. Door met je vinger snel van boven naar beneden te bewegen over de draaischijven stel je de gewenste tijd voor de wekker in.
7. Tik op **Bewaar** als je klaar bent. De wekker wordt toegevoegd en automatisch aangezet.

Een wekker moet je in- of uitschakelen. Zet daarvoor achter de tijd van de wekker de schakelaar op aan of uit. Als er een of meerdere wekkers zijn ingeschakeld, verschijnt in de statusbalk het symbool van een klokje (◑) boven in de statusbalk van de iPhone.

Je kunt de wekker wijzigen en verwijderen door op de knop **Wijzig** te tikken. Tik een wekker aan om de instellingen te veranderen. De lijst met wekkers staat op volgorde van tijdstip.

Zodra de wekker afgaat, kun je tikken op OK om de wekker uit te zetten. Tik je op Snooze, dan zal de wekker tien minuten later weer klinken.

Als de wekker gaat klinkt het wekgeluid en verschijnt er een grijze balk in beeld met daarin de tekst die je ingevoerd hebt als label van de wekker.

Naar gelang je persoonlijke instellingen heb je de mogelijkheid om op **Snooze** te tikken; de wekker zal na tien minuten weer klinken. Tik op **OK** om de wekker uit te schakelen.

Handig Misschien is het slim om te weten dat het wekgeluid zelfs klinkt als de iPhone in de stille modus staat!

Stopwatch

Met de stopwatch kun je sportprestaties redelijk nauwkeurig meten. Rondetijden worden eventueel ook weergegeven.

Gebruik de stopwatch om tijden te meten.

Tik op **Start** om de stopwatch te starten. Tik eventueel op de knop **Ronde** om de rondetijden bij te houden.

Tik op **Stop** om de stopwatch te stoppen. Scrol door de lijst met rondetijden om deze terug te kijken. Tik op **Opnieuw** om de stopwatch opnieuw in te stellen naar 00:00.0.

Als de stopwatch is gestart en je naar een ander programma op de iPhone gaat, zal de stopwatch in de achtergrond blijven doorlopen.

Timer

Eieren koken of de parkeermeter in de gaten houden wordt met de iPhone een makkie! De timer telt een vooraf ingestelde tijd af en laat dan een geluid horen.

Stel met je vinger het aantal uren en minuten in door over de draaischijven te slepen. Kies bij **Als timer eindigt** een geluid en tik op **Start** om de timer te starten. Zodra de ingestelde tijd verstreken is, klinkt het geluid en verschijnt een melding.

Bij **Als timer eindigt** kun je helemaal bovenaan de lijst ook kiezen voor **Sluimer iPod**. De muziek of video die aan het spelen is op het moment dat de ingestelde tijd verstreken is zal zichzelf uitschakelen. Handig voor het slapen gaan... Net als de stopwatch blijft ook de timer doorlopen als je een ander programma opent.

Calculator

Wat een calculator of rekenmachine doet, hoeven we in dit boek niet uit te leggen. Maar het is toch handig dat er eentje mee wordt geleverd met de iPhone. Start de calculator door in het beginscherm op het symbool ervan te tikken.

Voer simpele berekeningen uit door de knoppen aan te tikken. Zodra je een bewerking (als optellen,

aftrekken of delen) uitvoert, wordt dit weergegeven door middel van een witte rand om de desbetreffende knop. Gebruik de knoppen **MR**, **M+** en **M-** om getallen op te slaan in het geheugen en daar getallen bij op te tellen of van af te trekken.

Het kan zijn dat je wat uitgebreidere berekeningen wilt uitvoeren dan alleen optellen, aftrekken, delen of vermenigvuldigen. Draai de iPhone een kwartslag en je zult zien dat er zelfs een wetenschappelijke rekenmachine in de iPhone verborgen zit.

©Apple

Draai de iPhone een kwartslag om een meer uitgebreide rekenmachine te kunnen gebruiken.

Notities

Hoe vaak komt het niet voor dat je even snel iets wilt opschrijven zodat je het niet vergeet? In de iPhone zit een programma waarmee je dit kunt doen zonder meteen naar pen en papier te hoeven zoeken. Dat programma heet Notities en kun je openen door erop te tikken in het beginscherm. Er verschijnt een geel venster met daarin notities.

Een handig programma om snel notities te maken op de iPhone.

Een notitie maken

Om een notitie toe te voegen tik je op de knop met het plusteken (+) rechtsbovenin. Het toetsenbord wordt direct geactiveerd en je kunt beginnen met het intikken van je notitie. De eerste regel die je intikt wordt ook in de lijst met alle notities weergegeven. Meer informatie over het tikken van tekst op de iPhone vind je vanaf pagina 31.

Tik op **Gereed** als je klaar bent met het intikken van de notitie. Deze wordt automatisch opgeslagen en verschijnt in het beginscherm van Notities. Tik je op de knop **Notities** linksboven in het ven-

ster dan krijg je een overzicht van alle notities die je tot dan toe hebt gemaakt. Achter elke notitie staat de datum of het tijdstip van de laatste wijziging in de notitie. Tik een notitie aan om deze te bekijken. Tik weer op de tekst van de notitie om tekst toe te voegen of te wijzigen.

Bekijk de notities en blader er doorheen door de knoppen met de pijlen aan te tikken.

Gebruik de pijlen naar links of rechts om snel te bladeren naar de vorige of volgende notitie.

Een notitie verzenden als e-mail

Een gemaakte notitie kun je ook via e-mail verzenden. Aan een ander of uiteraard aan jezelf als herinnering. Open de gewenste notitie en tik op het symbool van de envelop (✉). De e-mail wordt aangemaakt. Het enige wat je nu nog hoeft te doen is de ontvanger in het veld **Aan** in te tikken en op

Stuur tikken. Voor het versturen van notities als e-mail moet er wel een e-mailaccount ingesteld zijn op de iPhone. Kijk daarvoor op pagina 75.
Om een notitie te verwijderen, open je de gewenste notitie en tik je op het symbool van de prullenmand (🗑).

Notities synchroniseren
Het is mogelijk om notities te synchroniseren met Outlook (W) of Mail (M). Gebruik hiervoor iTunes, stel dit in onder de tab **Info** als de iPhone is aangesloten. Lees meer over synchroniseren op pagina 13.

Hardlopen met je iPhone

In de iPhone zit een chip ingebouwd die kan communiceren met de zogeheten Nike+iPod-sensor. Deze sensor is apart te koop en stop je in je hardloopschoen. Deze sensor zal je stappen tellen en zo informatie over snelheid, afstand en verbruikte calorieën naar de chip in de iPhone sturen. Deze informatie wordt tijdens het hardlopen met de gebruiker gedeeld en is later met iTunes te synchroniseren om zo je vooruitgang te bekijken. Nike+iPod moet op de iPhone eerst geactiveerd worden. Ga daarvoor naar **Instellingen > Nike+iPod**. Kijk in de handleiding bij de Nike+iPod-sensor voor meer info.

YouTube

Als je je video wilt delen met de rest van de wereld kan dat via de website YouTube.com. Je kunt je eigen filmpje op YouTube zetten zodat iedereen de film kan zien. Inmiddels staan er miljoenen video's over de meest uiteenlopende onderwerpen online. Youtube.com zou je natuurlijk gewoon kunnen bezoeken met behulp van Safari.

Apple maakt het je nog iets makkelijker. Er is een speciaal programma ontwikkeld waardoor YouTube is geïntegreerd in de iPhone. Je hoeft dus niet speciaal naar de website te gaan. Vanaf het beginscherm kun je gewoon op YouTube tikken en je kunt direct alle beschikbare video's bekijken.

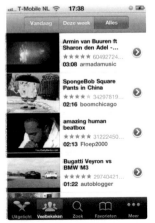

Met YouTube kun je video's bekijken.

Video's zoeken en bekijken

Het is eenvoudig om een video te zoeken en te bekijken. Je kunt bladeren of specifiek zoeken naar een video die je wilt zien.

Bladeren door video's

Tik op **Uitgelicht** om video's te zien die worden aangeraden door YouTube. Vaak zijn dit leuke of grappige video's. De meest bekeken video's van dit moment zie je door te tikken op **Veelbekeken**. Video's die eerder als bladwijzer zijn opgeslagen vind je onder **Favorieten**. Door op **Meer** te tikken, zie je Meest recent, Beste en Geschiedenis. Video's die als laatst zijn toegevoegd vind je bij **Meest recent**. Iedere YouTube-gebruiker kan video's beoordelen. De video's die het best beoordeeld zijn vind je onder **Beste**. De video's die je onlangs hebt bekeken vind je terug onder **Geschiedenis**.

Inloggen met je YouTube-account

Het is mogelijk om op de iPhone in te loggen met je eigen YouTube-account. Om zo je eigen video's te beheren en andermans video's te beoordelen. Gan dan naar **Meer** en tik op de knop **Log in** linksboven in beeld. Vul je naam en wachtwoord in. Heb je nog geen account ga dan eerst naar *www.youtube.com*. Eenmaal ingelogd kun je beoordelen, reageren, je eigen geuploade video's beheren en afspeellijsten aanmaken en beheren.

Zoeken naar een video en afspelen

Tik op **Zoek** en tik in het YouTube-zoekveld om de zoekterm in te voeren. Afhankelijk van de snelheid van je internetverbinding op dat moment toont YouTube de zoekresultaten. Dit gebeurt op videotitels, beschrijvingen, labels en gebruikersnamen. Als je de video wilt afspelen, tik je simpelweg op de video. De video wordt dan naar de iPhone geladen. Een statusbalk geeft de voortgang aan. De video begint automatisch met afspelen. Als je minder geduld hebt kun je ook meteen op ▶ tikken. Je loopt dan wel het risico dat de film gaat haperen.

Regelaars voor het afspelen van video

Als een video begint met afspelen verdwijnen de regelaars uit beeld. Zo kun je rustig naar het originele beeld kijken zonder dat er allerlei knoppen in beeld verschijnen. Als je de regelaars weer in beeld wilt hebben, tik je op het scherm.

Een video start je door op ▶ te tikken. Als je de video wilt pauzeren tik je op ‖. Het geluid harder of zachter zetten doe je door te slepen over de volumeschuifknop. Het geluid aanpassen kan ook

YouTube in HD (iPhone 4)

Omdat de iPhone 4 een scherm heeft met een hele hoge resolutie kun je op YouTube ook HD video's afspelen. Deze hoge kwaliteit video's zien er haarscherp uit op het nieuwe beeldscherm.

Om video's op de iPhone te bekijken moet je de iPhone een kwartslag draaien, want video's zijn altijd breedbeeld.

met de volumeknoppen aan de zijkant van de iPhone. Als je de video nogmaals vanaf het begin wilt zien, tik je op ▐◀◀. Als je hier tweemaal op tikt ga je naar de vorige video. Tik op ▶▶▐ om naar de volgende video te gaan. Dezelfde toetsen kun je ook gebruiken om in een video terug te spoelen of juist vooruit te spoelen.

Als je naar een ander punt in de video wilt gaan kun je ook de afspeelkop (het bolletje) in de navigatiebalk verslepen. Door op **Gereed** te tikken stopt het afspelen voordat de video is afgelopen.

Het scherm beeldvullend maken

Er zijn heel veel verschillende videoformaten. Sommige video's worden speciaal in breedbeeld-formaat opgenomen. Andere video's zijn nog in het oudere, meer vierkante formaat. Hierdoor kan het voorkomen dat video's niet beeldvullend worden weergegeven. Door tijdens het afspelen tweemaal

te tikken op het scherm wordt het formaat aange-past. Je kunt hiervoor ook op ▩ of ▩ tikken.

Een bladwijzer maken

Favoriete video's kun je opslaan als bladwijzer. Tik op het blauwe bolletje (◉) naast een video en vervolgens op **Bladwijzer**. Tijdens het afspelen van een video kun je ook op ▢ tikken.

Beoordelen of reageren

Als je bent ingelogd vind je in het infovenster van een video de knop **Beoordeel, reageer of markeer**. Tik erop om de video te beoordelen, te markeren als ongepast of een reactie te plaatsen.

Vertel anderen over een video

Als je een leuke video hebt die je wilt delen met je vrienden of collega's kun je hun een e-mail sturen met daarin een link naar de video. Hiervoor tik je tijdens het afspelen van de video op ✉. Je kunt dan de geadresseerde invullen en op **Stuur** tikken. De geadresseerde ontvangt dan een e-mail met daarin een link naar de video.

Agenda

De iPhone is ook heel handig te gebruiken als agenda. Zet afspraken in de iPhone en vergeet er nooit meer een. Je kunt de agenda ook synchroniseren met je computer.

Agenda's synchroniseren

Je kunt je agenda's synchroniseren met je computer. Op de Mac gebeurt dat met de programma's iCal of Microsoft Entourage. Op een Windows pc is dat Microsoft Outlook. Zodra je de iPhone aansluit op de computer kun je in het samenvattingsvenster van de iPhone in iTunes aangeven dat de agenda's gesynchroniseerd moeten worden met de computer. Zie pagina 13 voor meer informatie over het synchroniseren van agenda's.

Je kunt ook MobileMe- of een Microsoft Exchange-account gebruiken om de agenda's te synchroniseren. Ga daarvoor in de iPhone naar **Instellingen** > **Mail, Contacten, Agenda's** en voeg een account toe door op **Voeg account toe** te tikken. Vul de gewenste gegevens in.

De kalender bekijken

Tik eerst op het symbool **Agenda** in het beginscherm. Het scherm geeft je opties **Lijst**, **Dag** en **Maand** om op een bepaalde manier de kalender te bekijken. Gebruik de knoppen onder in beeld.

In de lijstweergave scrol je met je vinger naar boven en beneden door de data. Bekijk de details van een activiteit door deze aan te tikken.

In de dag- en maandweergave blader je door dagen of maanden door de pijlen (◄ en ►) aan te tikken.

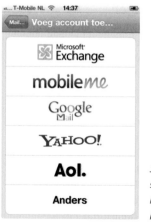

Je kunt agenda's ook synchroniseren met Microsoft Exchange en MobileMe.

In de maandweergave geeft een stip bij de dag aan dat er een activiteit gepland staat voor die dag.

Geef een begin- en eind-
tijd op door de draai-
schijven te gebruiken.

In de maandweergave geeft een stip bij de dag aan dat er een of meer activiteiten zijn voor die dag. Tik je een datum aan, dan verschijnt de activiteit onder in beeld. Tik op de knop **Vandaag** om naar de huidige datum te gaan.

Een activiteit toevoegen

Je kunt makkelijk een activiteit toevoegen in Agenda op de iPhone.

1. Tik op de plusknop (**+**) rechtsboven in het venster.
2. Tik een naam en een locatie in voor de activiteit door eerst op het bovenste veld te tikken. Tik op **Gereed** als je klaar bent.
3. Kies een datum, begin- en eindtijd, door op het tweede veld te tikken. Gebruik de draaischijven

om de gewenste datum en tijden in te stellen. Gebruik je de knop **Hele dag**, dan kun je geen tijd instellen. Tik op **Gereed** als je klaar bent.
4. Kies bij **Herhaal** met welke regelmaat de activiteit herhaald moet worden. Kies bijvoorbeeld bij iemands verjaardag voor **Elk jaar**.
5. Bij **Melding** kun je aangeven of er een melding in het scherm van de iPhone moet verschijnen als het tijd is. Vergeet nooit meer een afspraak!
6. Bij **Agenda** kun je eventueel de agenda aangeven waar de activiteit bij hoort. Verschillende agenda's kun je alleen instellen in het programma op je computer.
7. Voer eventueel notities in door op **Notities** te tikken.
8. Tik op **Gereed** om de activiteit toe te voegen aan de agenda.

Een activiteit wijzigen

Zodra je een activiteit aantikt vanuit de kalenderweergave, verschijnt er een venster dat meer informatie over de activiteit toont. Tik op de knop **Wijzig** om de activiteit te wijzigen. Voer de gegevens opnieuw in.

Een activiteit verwijderen

Tik nadat je op **Wijzig** hebt getikt, op **Verwijder activiteit** als je dit wilt. Je moet het verwijderen van een activiteit bevestigen. Dit kan niet ongedaan worden gemaakt. Na synchronisatie met iTunes op de computer zal de activiteit ook uit je agendaprogramma verdwenen zijn.

iTunes Store

Muziek en programma's aanschaffen voor op de iPhone

Muziek kopen kan al jarenlang in iTunes. Toen Apple in 2003 naar buiten kwam met het plan om een online muziekwinkel te beginnen was iedereen erg argwanend. Jaren later heeft Apple zich bewezen. Momenteel zijn ze de grootste online muziekwinkel. Om dit succes nog verder uit te breiden heeft Apple de iTunes Store geïntegreerd in de iPhone. Je kunt dus zelfs op je iPhone je favoriete muziek kopen. Er is wel een nadeel. Helaas kun je niet overal je muziek kopen. Voor het gebruik van de iTunes Store is namelijk een internetverbinding nodig, via Wi-Fi of 3G. Bij een andere verbinding zal de iTunes Store niet beschikbaar zijn.

Sinds het uitkomen van de iPhone heeft Apple een nieuwe winkel geopend, de zogeheten App Store. Deze is volledig geïntegreerd met de iPhone, want je kunt er extra programma's downloaden. Veel van deze programma's zijn gratis, maar sommige kosten een paar eurootjes.

Voor het kopen van muziek of programma's via de iTunes Store moet je wel eerst een Apple ID hebben. Hoe je een Apple ID kunt aanmaken, lees je op pagina 18.

iTunes Store

Om te gaan winkelen in de iTunes Store tik je vanuit het beginscherm op het paarse iTunes-

symbool. De iTunes Store lijkt op een soort internetpagina. Je kunt tikken op artiesten, albums en de nummers hiervan. Als je op een nummer tikt, kun je 30 seconden van het nummer beluisteren. Door te tikken op **Muziek** zie je muziek die wordt aanbevolen door Apple. Vaak is dit nieuwe muziek. Tik je op **Top 10** dan kun je de top 10 van de best verkochte nummers per genre bekijken. Door op **Zoek** te tikken kun je de naam van je favoriete artiest of titel van een nummer invullen. Vervolgens worden alle zoekresultaten weergegeven. Bij **Meer** kun je de status van eventuele nummers die je downloadt (koopt) bekijken.

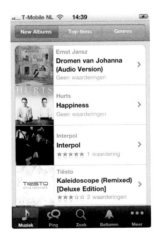

In de iTunes Store kun je lekker bladeren door muziek, voorbeluisteren en muziek kopen.

Muziek kopen en downloaden

Nadat je een nummer hebt voorbeluisterd kun je het nummer heel gemakkelijk kopen.

1. Tik op de prijs en tik op **Koop nu**.

Als je tijdens de laatste synchronisatie met je computer in iTunes was ingelogd met je Apple ID, hoef je geen accountgegevens meer op te geven. Als dit niet het geval is moet je een accountnaam en wachtwoord opgeven van je Apple ID.

2. Tik je wachtwoord in en tik op **OK**.

Tik op de naam van het nummer voor een voorvertoning. Tik op de prijs achter het nummer om het aan te schaffen.

De transactie vindt nu plaats. Het geld wordt afgeboekt van je creditcard, bankrekening of iTunes Giftcard. Als je binnen een kwartier nog meer nummers koopt, hoef je het wachtwoord niet opnieuw op te geven. Na een kwartier wordt automatisch je account 'op slot' gezet. Je moet dus opnieuw je wachtwoord invoeren.

Als je nummers van een bepaald album eerder hebt aangeschaft en je wilt nu het album kopen dat het nummer ook bevat, krijg je hiervan een mededeling voordat je het album koopt. Tik op **Koop** als je het album toch wilt kopen of op **Annuleer** als je alleen de overige nummers wilt kopen. Sommige albums bevatten bonusmateriaal. Deze nummers worden ook naar de iTunes-bibliotheek van je computer gedownload. Niet al het bonusmateriaal wordt rechtstreeks naar de iPhone gedownload.

De downloadstatus bekijken

Als je een nummer of album koopt kun je de voortgang van het downloaden bekijken door te tikken op **Meer** > **Downloads**. Als je plotseling weg moet en de verbinding met het Wi-Fi-netwerk moet verbreken, kun je op het pauze-symbool tikken om de download te onderbreken. De volgende keer dat je gebruikmaakt van een Wi-Fi-netwerk wordt het downloaden automatisch hervat.

Als je de iPhone aansluit op je computer en iTunes opstart heb je de mogelijkheid om al je aankopen over te zetten op de computer. Hiervoor ga je naar **Archief** > **Zet aankopen van iPhone over** (M) of **Bestand** > **Zet aankopen van iPhone over** (W).

Podcasts

Via de iTunes Store kun je ook podcasts downloaden. Podcasts zijn het best te vergelijken met radiouitzendingen die op internet staan. In iTunes zelf (dus op de computer) kun je je op een podcast abonneren, dan wordt deze elke keer dat er een nieuwe aflevering van die podcast verschijnt automatisch gedownload.

Om een podcast te downloaden, tik je onderin de balk in de iTunes Store op **Meer** en dan op **Podcasts**. Er verschijnt een lijst met podcasts en door erop te tikken kun je losse afleveringen downloaden. Sommige podcasts worden als video beschikbaar gesteld. Deze herken je aan het symbool van een televisie (□) erachter. Podcasts zijn altijd gratis en vrij te downloaden.

Apple ID op de iPhone

Om op de iPhone een (nieuw) Apple ID te maken, ga je naar **Instellingen** > **Store** en daar tik je op **Maak account aan**. Volg de instructies op het scherm op.

In de iTunes Store is het mogelijk om je accountgegevens te bekijken en eventueel uit te loggen. Door uit te loggen maak je het onmogelijk dat iemand zonder jouw toestemming muziek gaat kopen in de iTunes Store. Onderaan elke pagina in de iTunes Store vind je een knop waarop jouw accountnaam weergegeven is. Tik er op en je krijgt de keuze voor **Toon account** of **Log uit**.

Heb je problemen met je Apple ID, ga dan naar de website *appleid.apple.com*. Daar kun je controleren wat je Apple ID is en eventueel wijzigingen maken in je accountgegevens.

Ping

Met Ping kun je in contact blijven met vrienden, familie en kennissen. Als je een verzoek doet om iemand te volgen en dat is geaccepteerd door de andere partij dan kun je zien welke nieuwe muziek hij/zij aanschaft. In de iTunes Store kun je aangeven of je een nummer 'leuk' vindt. Mensen die je volgen zien dat dan in iTunes. Met Ping kun je niet alleen vrienden volgen maar ook je favoriete band of artiest. Zo kom je er achter naar wat voor muziek zij luisteren en waar ze binnenkort zullen optreden.

Ping zit niet alleen op de iPhone, maar is ook beschikbaar in iTunes op de computer. Ga daarvoor naar de iTunes Store en klik op Ping boven in de knoppenbalk.

Ga naar Ping door onder in de zwarte balk op Ping te tikken. Je hebt hiervoor een Apple ID nodig.

De App Store

De iPhone is makkelijk uit te breiden met extra programma's. Niet alleen spelletjes en vermakelijkheden, maar ook uitgebreide programma's voor het ontvangen van nieuws, weerberichten en andere informatie zijn te downloaden. Het toevoegen van deze programma's (ook wel applicaties) kun je doen met de op de iPhone aanwezige App Store. Tik op het symbool van de **App Store** in het beginscherm om de winkel binnen te gaan.

Door programma's bladeren

Zodra je de App Store opent, kun je door op de knoppen onder in het venster te tikken door de grote collectie programma's bladeren. Tik op **Uit-**

gelicht om een lijst met nieuw toegevoegde en aanbevolen programma's te bekijken. Je kunt bladeren op genre door op **Catagorieën** te tikken. Er verschijnt een top 25 betaalde of gratis programma's als je op **Top 25** tikt. Bij **Zoek** kun je zoeken op de naam of functie van een programma.

Meer informatie over een programma

Als je een programma aantikt, verschijnt er een venster waarin meer informatie over dat programma wordt getoond. Naast een uitgebreide omschrijving, vind je er een *screenshot* en uiteraard de prijs van het programma.

De meeste informatie is Nederlands-, soms Engelstalig. Is een programma gratis te installeren op de iPhone dan staat er het woord 'gratis' (GRATIS) bij.

De App Store biedt een uitgebreid assortiment aan programma's voor de iPhone.

Tik op de blauwe knop om het programma te installeren op de iPhone. Het kleine plusje in de knop met de prijs betekent dat de app ook geschikt is voor de iPad, een ander product van Apple.

Onder in het venster met informatie kun je tikken op de knop **Recensies** om te lezen wat andere mensen van het programma vinden. Je kunt zelf ook je bevindingen over het programma doorgeven door op de knop **Schrijf recensie** te tikken.

Tik op de knop linksboven in het venster om terug te gaan naar het overzicht met programma's.

Een programma installeren

Zodra je een programma hebt gevonden dat je wilt gebruiken op de iPhone, tik je op de blauwe knop met daarin de prijs (bijvoorbeeld 0,79 €) of het woord 'gratis' (GRATIS). De knop wordt groen en het woord 'installeer' verschijnt erin (INSTALLEER). Tik op de groene knop als je zeker weet dat je het wilt gaan gebruiken en dat je akkoord gaat met het feit dat er eventueel een bepaald bedrag van je creditcard wordt afgeschreven.

Je moet nu je Apple ID invoeren. Als je dit nog niet hebt, moet je dit eerst aanmaken. Hoe je een Apple ID aanmaakt, lees je op pagina 18.

De App Store zal automatisch afsluiten, en in het beginscherm zie je het symbool van het nieuwe programma verschijnen. Een blauwe balk in het symbool geeft aan dat de iPhone bezig is met downloaden van het programma. Zodra de blauwe balk verdwenen is, is het programma klaar voor gebruik. Tik erop om het programma op te starten en te gebruiken.

In het beginscherm wordt het nieuwe programma geïnstalleerd. Wacht tot de blauwe balk is verdwenen voordat je het programma kunt gebruiken.

Je kunt het programmasymbool een andere locatie geven in het beginscherm door je vinger lang op het symbool ingedrukt te houden. De symbolen gaan nu bewegen. Sleep het gewenste symbool naar een andere plek in het beginscherm. Sleep het symbool naar de rand van het beginscherm om het aan een ander of nieuw beginscherm toe te voegen.

Updates ontvangen

De programma's die je uit de App Store op de iPhone hebt geïnstalleerd, kunnen door de maker ervan geüpdatet worden. Denk dan aan nieuwe functies of *bugfixes* (het oplossen van kleine problemen in het programma). Als de App Store een update heeft gevonden voor een programma, wordt dit weergegeven met een rood rondje met daarin het aantal updates bij het symbool van de

Peer-to-peer

Een handige functie voor programma's uit de App Store is *Peer-to-peer*. Dat betekent dat programma's via een Bluetooth- (zie pagina 41) of Wi-Fi-verbinding onderling gegevens uit kunnen wisselen. Dat kan handig zijn als je bijvoorbeeld direct een foto of contactgegevens wilt sturen aan iemand. Maar het wordt echt leuk als je spelletjes met elkaar gaat spelen. Een goed voorbeeld daarvan is Game Center, lees daarover meer op pagina 103.

App Store. Tik erop om de updates te bekijken en eventueel te installeren. Tik dan op **Werk alles bij** om alle updates te installeren. Het bijwerken van de programma's gaat verder volledig vanzelf.

Programma's synchroniseren

Zodra je de iPhone aansluit op de computer, worden de geïnstalleerde programma's ook op de harde schijf van de computer opgeslagen. In de navigatiekolom in iTunes kun je klikken op **Programma's** om een overzicht van alle door jou geïnstalleerde programma's op de iPhone te bekijken.

Een programma verwijderen

Je kunt de programma's uit de App Store ook weer verwijderen. Houd je vinger lang ingedrukt op een symbool van een programma in het beginscherm

totdat de symbolen gaan bewegen. Tik daarna op het kruisje (❌) bij het programma dat je wilt verwijderen. Bevestig dit door op **Verwijder** te tikken.

Tik op het kruisje bij een programma om het te verwijderen.

Van alle programma's die je op de iPhone installeert wordt een reservekopie gemaakt op de harde schijf van je computer zodra je de iPhone synchroniseert met iTunes. Verwijderde programma's kun je dus altijd later weer installeren tijdens het synchroniseren. Hiervoor moet je de iPhone dus wel gesynchroniseerd hebben voordat je een programma verwijdert.

Als je een programma verwijdert van de iPhone wordt je gevraagd een beoordeling te geven in de vorm van een aantal sterren. Deze informatie wordt gebruikt in de App Store.

App's die je moet hebben

Natuurlijk hebben wij, als auteurs van dit boek, een lijstje met favoriete programma's uit de App Store. Hier een kort lijstje van programma's waarvan wij vinden dat je ze toch een keer gezien en gebruikt moet hebben!

Push Notificaties

Sinds versie 3.0 van de software op de iPhone is het mogelijk dat verschillende programma's uit de App Store zogeheten *Push Notificaties* kunnen versturen. Dat houdt in dat een programma niet actief hoeft te zijn om toch informatie aan de gebruiker te verschaffen. Denk aan een programma dat nieuws toont. Zelfs als het programma niet actief is kan het door middel van een melding een nieuwsitem tonen. Of een chatprogramma dat chatberichten kan tonen zonder dat je zelf actief aan het chatten bent. Een goed voorbeeld is het programma *eBuddy*, dat te vinden is in de App Store. Het ontvangen van deze *Push Notifications* vergt alleen wel heel erg veel van de batterijduur van de iPhone. Gelukkig kun je deze berichtgeving uitzetten. Ga daarvoor naar **Instellingen > Berichtgeving** en zet de schakelaar uit. De iPhone controleert nu niet continu op nieuwe berichten.

iBooks (en de iBook Store)

Sinds de introductie van de iPad is het ook op de iPhone mogelijk om boeken te lezen. Ondanks het kleine beeldscherm is het op de nieuwe iPhone4 prima te lezen. Door iBooks te downloaden in de App store krijg je je eigen virtuele boekenkast. Voor meer informatie over de App store ga je naar pagina 118. Als iBooks is geïnstalleerd kun je in iBooks tikken op **Winkel**. De boekenkast draait dan om. Eenmaal omgedraaid kun je boeken kopen net zoals je dat ook gewend bent in de iTunes Store. Alle aangeschafte boeken verschijnen dan in de boekenkast. Door te tikken op een boek opent het boek en kun je beginnen met lezen. Het omslaan van een pagina gebeurt eigenlijk heel natuurlijk. Door rechtsonderin je vinger te slepen naar links slaat de bladzijde om.

iBooks op de iPhone.
Neem altijd je boeken
mee voor onderweg!

Radio

Radio luisteren via de radio is inmiddels achterhaald. Met het programma Radio kun je meer dan 200 radiostations beluisteren via internet. Omdat de iPhone natuurlijk zowel via 3G als via Wi-Fi kan verbinden met internet kun je dus (bijna) overal naar de radio luisteren.

Erg handig is dat je de snelheid van de verbinding kunt kiezen. Als je merkt dat de radioverbinding niet constant is en dus hapert, dan kun je een langzamere verbinding kiezen. De kwaliteit wordt dan minder maar de muziek hapert niet meer.

Radio kost minder dan een euro en het aantal radiostations wordt steeds meer uitgebreid, dus deze App is zeker het geld waard.

Met het programma Radio kun je naar de radio luisteren op je iPhone.

Shazam

Je kent het wel, je hoort een nummer op de radio en wilt graag weten van wie het nummer is. Al je vrienden opbellen met de vraag wat nou dat ene nummer is, is niet meer nodig. Het programma Shazam biedt uitkomst. Wat doet Shazam dan? Shazam analyseert het nummer ongeveer dertig seconden. Daarna maakt je iPhone verbinding met internet en gaat hij op zoek naar de artiest en de titel van het nummer. Het leuke is dat het verrassend goed werkt. De database met titels is heel groot. Hij vindt dus heel vaak de juiste titels. Zelfs al is het nummer nog vrij onbekend.

Shazam helpt je de naam en artiest van een nummer te vinden dat je op dat moment hoort.

Shazam is een erg simpel programma. De belangrijkste knop is **Tag**. Zodra je daarop tikt begint het analyseren. Let er op dat de muziek goed hoorbaar moet zijn. Anders moet je dichterbij de bron gaan staan of natuurlijk het volume van de muziek harder zetten. Als de titel en de artiest gevonden zijn, dan wordt deze opgeslagen in een lijst. Je kunt dus later altijd de artiest en de titel terugvinden.

Shazam is gratis te downloaden. Vanuit Shazam kun je zelfs direct naar de iTunes Store gaan en het nummer kopen.

Skype

Op de computer bestaat het al veel langer: audio chatten (ook wel *VOIP* genoemd). Dankzij de zeer snelle internetverbindingen hoeven we niet meer als een gek te tikken op het toetsenbord zoals dat altijd gebruikelijk was met chatten. Nu kun je gewoon praten met elkaar zoals je dat ook gewend bent als je met iemand belt. Handig omdat het gratis is! Je kunt dus met anderen over de hele wereld praten zonder dat er kosten zijn. Als beide partijen bijvoorbeeld het programma Skype op hun computer hebben staan kan het feest beginnen.

Het leuke is dat dat nu ook kan met je iPhone. Er was lang onduidelijkheid of dit zou komen. De telefoonproviders probeerden dit tegen te houden omdat ze bang waren dat hun inkomsten aanzienlijk zouden dalen. Maar gelukkig is Skype nu ook te downloaden in de App Store. En nog gratis ook.

Na het downloaden van het programma moet je een gebruikersnaam en wachtwoord aanmaken

als je dat nog niet hebt. Vervolgens kun je andere Skype-gebruikers gratis 'skypen' (bellen). Jammergenoeg werkt dit alleen als je gebruik maakt van een Wi-Fi netwerk. Skypen via 3G lukt dus helaas niet. Als je een snelle Wi-Fi-verbinding hebt dan gaat het 'bellen' goed. Zo worden internationale gesprekken wel heel 'goedkoop'.

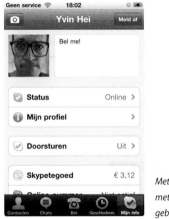

Met Skype kun je gratis met andere Skype-gebruikers bellen.

Met een SkypeOut-tegoed (zie *www.skype.com*) kun je zelfs tegen goedkope tarieven naar vaste en mobiele nummers bellen. Je kunt zelfs een voicemaildienst aanvragen bij Skype.

Trein

Wanneer vertrekt de eerstvolgende trein naar Den Bosch? Hoe laat moet ik vertrekken als ik om 15:00 uur in Antwerpen wil zijn? En op welk traject zijn de vertragingen? Het programma Trein geeft antwoord op deze vragen. Ook houdt het je continu op de hoogte van eventuele vertragingen. Al met al een bron aan informatie waardoor je precies weet hoe laat je aankomt en hoe laat je moet vertrekken. Het mooie is dus dat je zelfs in de trein tijdens je reis op de hoogte kan worden gehouden van de verwachte aankomsttijd.

Met het programma iNap kun je worden gewekt als je bij de bestemming aankomt en je bijvoorbeeld per ongeluk in slaap bent gevallen.

Trein is het treintijden-boekje op je iPhone.

De applicatie kost €2,39 en is een echte aanrader voor mensen die met de trein reizen. Het werkt overigens alleen voor de Nederlandse Spoorwegen in Nederland.

Weather Pro

Wil je altijd de laatste weersvoorspellingen bij de hand hebben? Dan is Weather Pro het programma waar je naar op zoek bent. Je kunt het actuele weer maar ook voorspellingen zien voor iedere grote stad in de wereld. De voorspellingen gaan zelfs zes dagen vooruit.

Daarnaast is er een (buien)radarfunctie waarin duidelijk te zien is waar de buien zich bevinden en hoe ze zich verplaatsen. Zo kun je een inschatting maken of de buien ook jouw stad aan zullen doen. Met de satellietfunctie kun je op hoger niveau zien hoe de hogedrukgebieden zich verplaatsen.

Weather Pro heeft zelfs een uitgebreide buien-radar aan boord.

Weather Pro geeft je gedetailleerde informatie over de hoeveelheid neerslag, de windrichting, windsnelheid en temparatuur per stad. Je kunt ook in verschillende grafieken zien hoe het weerverloop zal zijn de komende dagen. Erg handig dus. Weather Pro is te koop in de App store en kost €2,99.

Things

Word je vaak moe van al die Post-It notities op het beeldscherm van je computer? Of vergeet je vaak dingen? Het programma Things is dan een goede vriend. Dit programma is simpel gezegd bedoeld om lijstjes te maken. Zodra je de items op zo'n lijstje gedaan hebt, dan kun je deze afvinken.

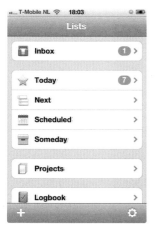

In het programma maak je met het gemak allerlei lijstjes met dingen die je nog moet doen. Vandaag,morgen of op een ander tijdstip.

Things is helemaal in elkaar gezet volgens het *GTD* principe. GTD staat voor 'Getting Things Done' en is gebaseerd op het gelijknamige boek van David

Allen. Hij beschrijft hierin een methode om makkelijk en snel met dergelijke lijstjes om te gaan. En hoe je ze zo snel mogelijk afwerkt.

Things is erg simpel van opzet. Je kunt er projecten aanmaken, die op hun beurt weer 'te doen'-lijstjes bevatten. Je kunt een datum toekennen aan zo'n onderdeel, om aan te geven wanneer het uiterlijk af moet zijn. Het mooie van Things is dat het zelfs kan synchroniseren met je computer. Daarvoor heb je wel 'Things for Mac' nodig (alleen beschikbaar voor Mac). Things voor de iPhone kost €7,99.

Afstandsbediening voor je computer

In de App Store vind je ook het programma *Remote*. Hiermee kun je iTunes op je computer bedienen vanaf je iPhone. Het programma is gratis en als je vaak naar muziek luistert met iTunes hoef je nooit meer naar je computer te lopen om een ander nummer op te zetten. Heb je een AppleTV (het *media center* van Apple) dan kun je deze met het programma Remote ook bedienen! Als je gaat zoeken op 'remote' in de App Store, vind je twee verschillende versies. De andere is namelijk een afstandsbediening voor het programma Keynote van Apple. Hiermee kun je presentaties bedienen met je iPhone. Dat ziet er professioneel uit tijdens een presentatie!